A Distância até a Cerejeira

PAOLA PERETTI

A Distância até a Cerejeira

Tradução
Flavia Baggio

Copyright © Paola Peretti, 2018
Copyright © Editora Planeta do Brasil, 2019
Título original: *La Distanza tra Me e il Ciliegio*
Originalmente publicado em italiano pela Rizzoli Libri, Milão,
e primeira edição em inglês publicada como *The Distance Between
Me and the Cherry Tree* pela Hot Key Books, um selo da Bonnier
Zaffre Limited, Londres.
Todos os direitos reservados.

Preparação: Karina Santos
Revisão: Tamara Sender e Laura Vecchioli
Diagramação: Vivian Oliveira
Ilustrações de capa e miolo: Carolina Rabei
Capa: adaptado do projeto gráfico original de Nick Stearn

CIP-BRASIL. CATALOGAÇÃO NA PUBLICAÇÃO
Angélica Ilacqua CRB-8/7057

Peretti, Paola
 A distância até a cerejeira / Paola Peretti; tradução de Flavia Baggio. – São Paulo: Planeta, 2019.
 224 p.

 ISBN: 978-85-422-1666-0
 Título original: *La Distanza tra Me e il Ciliegio*

 1. Literatura infantojuvenil 2. Crianças deficientes visuais - Literatura infantojuvenil I. Título II. Baggio, Flavia

 19-1006   CDD 028.5

Índices para catálogo sistemático:
1. Literatura infantojuvenil

2019
Todos os direitos desta edição reservados à
EDITORA PLANETA DO BRASIL LTDA.
Rua Bela Cintra, 986 – 4º andar
01415-002 – Consolação – São Paulo-SP
www.planetadelivros.com.br
faleconosco@editoraplaneta.com.br

*A Anna e Mario,
incríveis narradores, leitores, cozinheiros,
cabeleireiros, motoristas, estilistas, professores,
psicólogos, comediantes, educadores, amigos, avós.*

*Ou seja, mamãe e papai.
Vocês fizeram tanto, e fizeram bem.
Digam isso às crianças que vocês foram, por favor.*

PARTE UM
Setenta metros

1
O escuro

Todas as crianças têm medo de escuro.

O escuro é um quarto sem portas nem janelas, com monstros que nos prendem e nos devoram em silêncio.

Eu tenho medo só do meu escuro, aquele que tenho dentro dos olhos.

Não estou inventando. Se estivesse inventando, a mamãe não me compraria doces em formato de pêssego com creme e licor e não me deixaria comê-los antes do jantar. Se tudo estivesse bem, o papai não se esconderia no banheiro como faz quando a proprietária da casa liga, porque, sempre que liga, ela dá más notícias.

— Não se preocupe. — Mamãe me diz enquanto lava a louça do jantar. — Vá brincar no seu quarto e não pense em nada.

Fico ainda um tempo na porta da cozinha, tentando usar a força do pensamento para fazer com que mamãe se vire na minha direção, mas isso nunca funciona. E agora estou aqui, no meu quarto, fazendo carinho em Ótimo Turcaret, o meu gato cinza e marrom com um nó na ponta do rabo. Ele não se importa de ser puxado, remexido sobre o tapete ou perseguido com a escovinha do banheiro. É um gato, o papai diz, e os gatos são interesseiros. Talvez isso queira dizer que eles gostam de atenção. Para mim, basta que ele esteja disponível quando tenho um problema e preciso apertar algo quente e fofo. Como agora.

Eu sei que tem algo errado. Eu sou apenas uma menina do quarto ano, mas percebo tudo. A namorada do meu primo diz que eu tenho o terceiro olho. Ela é indiana e tem um pontinho pintado no meio da testa. Eu gosto que ela ache isso, mas para mim seria suficiente que pelo menos os dois olhos que já tenho funcionassem.

Às vezes tenho vontade de chorar, como agora. Quando estou prestes a chorar, meus óculos começam a ficar embaçados. Eu os tiro, assim pelo menos eles secam e a marca vermelha sai do meu nariz. Eu uso óculos desde o primeiro ano. Nós compramos esses amarelos com brilhinhos em dezembro do ano passado e eu gosto muito deles. Coloco-os novamente em frente ao espelho.

Sem os óculos, vejo tudo dentro de uma névoa, como quando tomo banho com muita água quente. A minha névoa se chama Stargardt, ou pelo menos foi isso que meus pais me disseram que ouviram no hospital. No celular *touch* do papai, que tem até internet, está escrito que o senhor Stargardt era um oculista alemão de cem anos atrás: foi ele quem descobriu o que acontece dentro dos meus olhos. Ele descobriu também que quem tem essa névoa começa a ver manchas pretas nas coisas e nas pessoas, e essas manchas ficam maiores, e depois gigantes. Assim, quem tem as manchas deve chegar cada vez mais perto das coisas para poder ver melhor. A internet diz: "A doença afeta aproximadamente uma em cada dez mil pessoas". Segundo mamãe, Deus escolhe as pessoas especiais, mas não me sinto tão sortuda quando penso nisso.

2

Coisas que eu gosto muito (e que não poderei mais fazer)

Eu me vejo no espelho a uma distância de três passos.

Mas essa distância está diminuindo: no ano passado, conseguia me ver a cinco passos. Na frente do espelho, faço carinho na cabeça de Ótimo Turcaret e também aliso meus cabelos, já que estou aqui. Nestes tempos, a mamãe tem gostado de me fazer marias-chiquinhas. E ai se me despenteio! Ela gosta tanto das marias-chiquinhas que me deixa com elas até para dormir.

O papai aparece só com a cabeça e diz para eu "me empijamar" e escovar os dentes. Eu digo que sim, mas sempre paro na janela por um tempão antes de obedecer. Da janela do meu quarto, dá pra ver um bom pedaço de céu escuro. Eu gosto de ficar olhando para fora nas noites de outono como esta, porque não faz frio e dá para ver a lua e a Estrela Polar, que brilham muito. Mamãe diz que elas são o lampião e o fósforo de Jesus. Pra mim, o mais importante é checar todas as noites se elas ainda estão ali.

Antes de dormir, o papai vem ler uma história para mim. Agora estamos na metade de *Robin Hood,* que me faz ter sonhos cheios de bosques e de flechas. Depois, geralmente chega a mamãe, que arruma ao redor do rosto as minhas marias-chiquinhas no travesseiro e me diz boa-noite com hálito de picolé de menta.

Mas esta noite entram os dois juntos e se sentam na minha cama, um de cada lado. Dizem que perceberam que estou enxergando um pouco menos e que por isso decidiram que vou fazer visitas muito especiais na semana que vem. Eu não gosto de faltar na escola, porque perco informações importantes (quanto tempo demorou para construírem as pirâmides?) e fofocas (é verdade que a Clara e o Gianluca do 4ºC estão juntos?). Mas não falo nada na frente dos meus pais. Espero os dois saírem e apagarem a luz, então acendo o abajur do meu criado-mudo e passo os dedos na borda dos livros que tenho acima da cabeceira da cama, em uma prateleira. Pego um caderno com o canto da borda amassado.

Apoio o caderno no travesseiro. Na capa tem uma etiqueta que diz: A LISTA DE MAFALDA.

Esse caderno é meu caderninho pessoal. Na primeira página tem uma data:

14 de setembro
Faz três anos e onze dias. Depois está escrito:

Coisas que eu gosto muito
(e que não poderei mais fazer)

Não é uma lista muito grande. Para dizer a verdade, são só três páginas, e no início da primeira está escrito:

Contar todas as estrelas que aparecem à noite
~~Pilotar um submarino~~
Fazer sinal de boa-noite com a lanterna pela janela

Alerta vermelho. Óculos embaçados.

A vovó morava bem em frente a nós, na casa vermelha com as cortinas de renda onde agora mora um casal que nunca cumprimenta ninguém, e que trocou as cortinas. A vovó era mãe do papai, tinha cachos como o papai e eu, mas brancos, e sempre me fazia sinais com a lanterna antes de dormir. Uma piscada significava "estou chamando você". Duas, "boa noite". Três, "para você também". Mas isso era antes, quando eu ainda me via no espelho a nove passos de distância.

A segunda página eu não deixo ninguém ler, nem Ótimo Turcaret, porque é muito, muito secreta.

Na terceira página, está escrito:

Jogar futebol com os meninos
Inventar caminhos na calçada que, se cair, vai parar na lava e morre
Jogar basquete com bolinhas de papel
Subir na cerejeira da escola

Eu escalei a cerejeira da escola um monte de vezes desde o dia em que cheguei no ensino fundamental. É a minha árvore. Nenhum outro menino consegue subir tão alto quanto eu. Quando eu era mais nova, fazia carinho no tronco dela, dava abraços nela... era a minha amiga.

Foi na cerejeira da escola que achei o Ótimo Turcaret. Ele estava morrendo de medo e era cinza e marrom como agora, porém mais feio. Era tão pequeno que consegui levá-lo para casa no bolso do uniforme, e só quando tirei ele do bolso e coloquei em cima da mesa da cozinha meus pais se deram conta de que era um gatinho muito pequeno. Ainda não se chamava Ótimo Turcaret, ainda não tinha nome.

Depois de um tempo que ele estava conosco e já me seguia por toda parte, até mesmo na escola, papai me deu de presente seu livro favorito, *O barão nas árvores*. Ele lia para mim de noite, antes de dormir. Foi assim que conheci Cosme, um menino mais velho que eu – só um pouco – que vivia em uma época cheia de pessoas com peruca que queriam obrigá-lo a fazer tarefas muito chatas e a comer pratos nojentos. Também conheci o bassê que tinha dois nomes, e decidimos que Ótimo Turcaret tinha mesmo cara de Ótimo Turcaret, ainda que o nosso gato não tenha dois donos como o bassê, que se chamava Ótimo Massimo quando estava com Cosme e Turcaret quando Viola, sua dona verdadeira, retornava.

No livro, o meu personagem favorito é o Cosme: eu gosto tanto que ele tenha ido morar nas árvores e que não desça mais porque quer ser livre. Eu não seria tão corajosa. Um dia, tentei construir uma casinha entre os galhos da cerejeira com papel higiênico, mas começou a chover e os muros derreteram. Mas o que eu preferia mesmo era quando eu levava lá pra cima um gibi para ler em um galho dividido no meio. Eu ainda enxergava bem.

Desde o primeiro ano, faço todos os anos exames dos olhos com gotas que ardem. Os médicos chamam as gotas de "rutina". Mas parece que as visitas muito especiais da semana que vem serão um pouco diferentes, porque a chama que tenho dentro dos olhos está se apagando muito depressa. Muito, muito, muito depressa. Quem me explicou foi a oftalmologista, que não é alemã como o senhor Stargardt e não descobriu coisa nenhuma, mas sempre me dá um lápis com uma borrachinha colorida em cima. Ela me disse que para algumas pessoas essa luzinha se apaga quando elas estão velhas, mas para outras isso acontece antes. Quando a minha se apagar completamente, ainda serei pequena.

Vou ficar no escuro, ela me disse.

Mas agora não quero pensar nisso, agora só quero sonhar com os bosques e as flechas de Robin Hood.

Fecho meu caderninho e apago a luz.

Cosme, me dá uma mão?

Você, sim, é capaz de fazer tudo, e é bom. Eu sei porque no livro você lia histórias para o bandido mesmo depois de ele ter feito muitas coisas ruins, você lia para ele entre as grades da prisão até o dia de sua condenação à morte. Agora pense, e para mim? Quem lê? Quem vai ler histórias quando eu ficar no escuro e mamãe e papai estiverem no trabalho?

Se nem mesmo você, que é amigo das árvores assim como eu, me der uma mão, vou acabar não falando mais com você. Pior, não penso mais em você. Você tem que encontrar um jeito de me ajudar, mesmo que seja em segredo, não precisa me contar, é só encontrar. Caso contrário, vou fazer os galhos de baixo do seu traseiro desaparecerem com meu pensamento e você vai cair na lava onde tem crocodilos, ou no chão, que pra você é ainda pior, já que jurou que jamais desceria das árvores.

A Estella sempre diz que podemos nos virar sozinhos, que não precisamos de nada. Quer saber? Eu preciso de algo, sim. Promete, Cosme? Me dá uma mão?

3

Brincando de amazonas

Foi a Estella que me deu a ideia da lista há três anos e onze dias, quando veio da Romênia para trabalhar como faxineira na minha escola.

Eu estava no pátio, em cima da cerejeira, o sinal estava tocando e eu não conseguia descer.

— Não consegue *descê*, né?

Lá da árvore olhei para baixo, apertando os olhos, e afastei um galho cheio de folhas amarelas. Perto do tronco, de braços cruzados, estava uma senhora da limpeza que eu nunca tinha visto na escola. Era alta, tinha os cabelos escuros, e mesmo sem poder ver bem de que cor eram seus olhos, eu senti que eram muito grandes e muito pretos, e quase me davam medo.

— Eu ajudo. Depois você *ir* pra aula.

Imaginei que fosse estrangeira. Fiquei sem me mexer na árvore. Estava morrendo de medo de cair.

— Coloca pé ali. — A senhora com os olhos assustadores apontava um pedaço de tronco saliente, um pouco abaixo de mim. Eu ficava firme no galho em que estava sentada.

Tentei estender uma perna, mas acabei escorregando e a casca da árvore me arranhou. Voltei no mesmo instante para a posição em que estava antes.

— Não vou descer.

— E vai ficar aí *tuda* vida?

— Sim.

— Então, tchau! — disse enquanto começava a caminhar em direção à escola. Deu pra ouvir um *crec* debaixo dos seus pés. Ela se abaixou e pegou os óculos vermelhos do chão. Estavam no meio das folhas.

— E isso? É seu?

— São os meus óculos! Eles caíram enquanto eu subia na árvore. Agora não consigo mais descer!

— Não precisa chorar! — A senhora com os olhos negros voltou para perto da árvore. — Eu *tumbém* na Romênia sempre estava em cima das árvores. Eu gostava de brincar lá em cima, no alto.

Eu funguei com o nariz e perguntei do que ela brincava.

— Eu brincava de... como se fala... amazona. Sabe o que é amazona?

— Não. O que é?

— É uma guerreira a cavalo, como um homem. Que não tem medo de *descê* da árvore.

— Mas ela não precisa de óculos.

— Não. Ela é muito forte. Não tem medo de nada. Ela *arancou* um pedaço do peito para *caregar* a lança.

— Um pedaço do peito?
— Sim. A avó da avó da minha avó era de família amazona. Faz muito tempo.
— Não é verdade.
— Claro que é verdade.

A senhora com os olhos negros que me davam medo arregaçou as mangas da camisa bem rápido e começou a subir na árvore. Eu me segurava forte no meu galho. Quando chegou à altura em que eu estava, sentou-se em um galho como se estivesse montada em um cavalo.

— *Vio?* Amazona.
— Mas e agora? Como fazemos para descer?

Ela pegou os óculos do bolsinho da camisa e me entregou. Eu coloquei na hora. Estavam um pouco tortos e sujos de terra, mas me ajudavam a enxergar melhor.

— Agora, vai — disse a faxineira dos olhos grandes. De perto pude ver que ela estava com um batom cor-de-rosa bem forte. Ela começou a voltar, tão depressa quanto tinha subido.

— Espere!
— O quê?
— Eu não quero descer.
— Mas por quê, meu Deus? Desce que eu preciso *trabaiar*!

Eu não queria que ela perdesse tempo. Ela foi boa comigo me trazendo os óculos, mas eu não queria descer porque, no dia anterior, a doutora Olga tinha me dito que eu tinha uma coisa ruim nos olhos, e eu estava assustada.

Eu preferia ficar ali, assim nada de ruim poderia me acontecer.

Contei para a senhora. Contei também que eu não enxergava muito bem e que iria piorar. E contei que eu não queria não poder mais subir em árvores. Ela tinha os olhos enormes, pintados com um contorno preto.

— Se não vai mais poder fazer as coisas, você tem que escrever lista. Assim você não perde nenhuma.

— Uma lista?

— Sim. Uma lista. Eu *tumbém* fiz uma há anos.

— Você também enxergava pouco?

— Não.

— O que você tinha, então?

Ela bufou e começou a descer novamente da árvore.

— Eu tinha menos problemas que agora, com você me enchendo.

Eu a segui bem devagar, me deslocando no meu galho. Fiquei um pouco chateada com o que ela disse, mas estava curiosa.

— E o que tinha na sua lista?

— Desce e eu mostro. Como é o seu nome?

— Mafalda. E o seu?

— Estella.

A Estella pulou do galho mais baixo da cerejeira e se virou para mim. Eu também fui até um galho baixo e pulei. Ela me pegou no ar e me colocou no chão.

Depois foi para a entrada da escola, mas antes me chamou com a mão.

— Estella não mente, só diz a verdade. Vamos ver lista da Estella.

Agora eu vejo a Estella todos os dias na escola.

Quando chego, às dez para as oito, ela está na porta me esperando e usa um código secreto para me chamar, que não é tão secreto assim porque todo mundo ouve: é um assobio tão forte, de estourar os ouvidos, e só ela sabe fazer, com os dedos na boca. Eu ouço de muito, muito longe e vou ao encontro dela.

Só que antes eu paro pra cumprimentar a cerejeira. Da rua por onde eu passo com o papai todas as manhãs, dá para ver ela de longe (um pouco longe só). Na verdade, na minha frente aparece só uma nuvenzinha colorida, mas eu sei que é a árvore, quer dizer, os seus cabelos, se ela fosse um gigante do bem como eu imagino. A vovó dizia que no tronco das árvores sempre mora um gigante, que é o espírito da árvore, que muda de árvore quando cortam o tronco. No jardim da vovó também tinha uma cerejeira: desde muito pequena, eu subia nela e ajudava a vovó a colher as cerejas maduras. Eu nem precisava de óculos.

Com as cerejas da árvore da vovó, fazíamos um doce e também uma marmelada para guardar para o inverno. Mas depois tivemos que cortar a cerejeira, porque ela estava doente de piolho, apesar de eu achar que era só ter cortado as folhas. Quando pegamos piolho na escola, apenas cortam nosso cabelo em vez de nos matarem.

Quando cortaram o tronco, eu decidi que o gigante tinha ido morar na cerejeira da escola e tinha levado com ele o espírito da vovó. Seria divertido contar os passos entre o ponto em que consigo enxergar a minha árvore e o ponto em que ela está. Assim eu saberia o quanto estou perto do gigante da vovó. Eu me esforço e aperto bem os olhos e, finalmente, lá está: uma mancha vermelha, amarela e laranja como as perucas dos palhaços, está desfocada, mas está lá. A escola está ali perto, é uma nuvem azul. Começo a contar: um, dois, três...

— Mafalda, se você continuar andando desse jeito, vamos chegar atrasados — disse o papai me puxando pela mão.

— Papai, quanto mede um passo meu?

— Ah, não sei. Mais ou menos meio metro. Você é bem alta pra sua idade.

Continuo contando. Conto trinta passos e escuto o assobio da Estella. Trinta e cinco, trinta e seis... Quarenta, cinquenta, cem... Chegamos ao portão da escola. Ela vem ao meu encontro, cumprimenta o papai e me acompanha para dentro. Pego uma folha perto da árvore. Está úmida, na frente é amarela e atrás é marrom. Tem uma forma superperfeita e cheiro de terra. Como quando eu fazia jardinagem com a vovó. Guardo a folha no bolso.

Dei cento e quarenta passos para chegar até a cerejeira do ponto onde consigo enxergá-la.

Setenta metros.

PARTE DOIS
Sessenta metros

4

A parte do meio do olho

Pra mim, a segunda página da minha lista é a mais importante e, como ela é supersecreta, eu a deixei escondida entre as outras duas; assim, se alguém rouba meu caderninho pessoal e lê a primeira página, vai pensar que não tem nada de especial depois.

Pra dizer a verdade, a primeira e a terceira também são importantes, mas a segunda é mais porque eu escrevi coisas que eu não falaria para ninguém. Sherlock Holmes usa muito esse truque para as coisas secretas, por isso pensei em usá-lo também.

Daqui a pouco vou ver a doutora Olga. Espero minha mãe terminar de se maquiar enquanto finjo que estou fazendo carinho em Ótimo Turcaret na varanda. Na verdade, estou disfarçando para olhar a segunda página da lista. Estella me disse pra não fazer isso, porque o que eu escrevo aqui ou eu deixo ir embora ou eu levo comigo e ponto. Eu não entendi muito bem essa frase. Decidi que, se eu tiver vontade, vou ler a segunda página até eu ter certeza de que entendi.

Escuto os passos da mamãe vindo lá de dentro. A mamãe sempre coloca salto para ir à médica. Fecho correndo o caderninho e o escondo debaixo da espreguiçadeira.

— Está pronta? Vamos.

Vou pensar de novo naquela frase da Estella. Ela diz tantas frases assim que acho que vou ficar no escuro antes de conseguir entendê-las.

A doutora Olga tem olhos verdes, me parece.

Ela se senta em sua mesa e me dá de presente um lápis com borrachinha de dinossauro.

— Não tem um com as divindades egípcias? — pergunto.

A mamãe, que está sentada do meu lado, me dá uma cotovelada. O papai também veio, está com um casaco bonito por cima do macacão de trabalho. Ele saiu para comer, mas hoje deve ficar com a gente no hospital porque saíram os resultados do meu exame. A médica responde que vai procurar um lápis com deuses egípcios caso outras crianças lhe peçam também. Depois ela fica toda séria.

— Senhores, a situação não é boa. Nos últimos meses, a retina da Mafalda afinou rapidamente até o limite máximo que o tecido pode tolerar. A mácula...

— A parte do meio do olho. — Eu a interrompo, assim papai e mamãe entendem melhor. — Estudamos isso na escola.

— Exatamente. A mácula da Mafalda está muito comprometida, como confirmam os testes.

Eu não tenho certeza daquilo que ela está falando, penso que talvez podia ter me empenhado mais no teste: não fiquei realmente parada quando colocaram os fios nos meus olhos, e durante o teste do ponto vermelho eu cheguei até a dormir! Estou tentando dizer isso para a médica, mas ela continua falando com a voz tão baixa que eu preciso colocar a orelha inteira na direção de sua boca para conseguir ouvir.

— A rapidez com que a doença está progredindo não nos dá esperanças. Sendo otimista...

— Quanto? — o papai pergunta com a voz ainda mais baixa, como nunca acontece.

— Sendo otimista, seis meses.

O papai e a mamãe murcham na cadeira, como balões furados. Eu chego mais perto da mesa e pergunto à medica:

— Seis meses para quê?

Ela me olha através de seus óculos com as lentes finas:

— Para você não enxergar mais, Mafalda.

— Então eu vou ficar no escuro mesmo?

Ela fica um instante em silêncio. Depois diz somente:

— Eu sinto muito.

Meus óculos ficam embaçados.

Certas notícias deveriam ser dadas sempre com um gato junto para abraçar.

5

Ter um melhor amigo

Voltando da consulta, pego Ótimo Turcaret para usar como coberta para o meu cochilo com sonho.

Eu comecei a sonhar durante os cochilos no ano passado, quando o meu primo André ficou noivo da Ravina, que me ensinou uma coisa chamada meditação, que é um modo de fazer com que seus sonhos sejam bons, mesmo que você esteja triste ou bravo ou não tenha tanto sono. Precisa ficar bem quietinho e imaginar a parte de dentro do corpo, o que não é uma coisa fantástica no começo, mas, depois que você se acostuma, em vez de pensar no sangue que corre nas veias e no cérebro, você fica sem pensar em nada. Ou pelo menos comigo acontece isso. Os barulhos da casa tocam meu rosto como ondas de carinho, como o soar de sinos distantes, e assim eu pego no sono. É nessa hora que os sonhos chegam.

Nesse cochilo eu tive um sonho lindo.

Sonhei que subia na cerejeira da escola, no ponto mais alto, lá em cima. De lá eu conseguia ver a cidade toda, aliás, o mundo todo. Aí abri os braços e comecei a voar, cheguei até o teto da escola, e mais alto ainda. E no final fui embora. Voei até a lua e a Estrela Polar, mas enxergava bem todas as outras estrelas também, e joguei futebol com a vovó, que era a goleira.

Clara está aqui pra brincar comigo, mas não de futebol. A mamãe que chamou ela, mesmo eu querendo ficar sozinha. Estou aprendendo a ler com os pontinhos do braile. O livro que Estella me deu pra treinar é muito bonito e também um pouco estranho, o nome é *O Pequeno Príncipe*. Ela comprou esse livro na Amazon. Mas Clara é minha amiga desde o jardim de infância e não posso fingir que ela não está aqui. Na verdade faz um tempão que ela não vem brincar na minha casa e que não me convida pra ir lá. A última vez foi no aniversário dela, em junho, e depois saímos as duas de férias.

Quando ela chega, guardo o alfabeto com os pontinhos. Mas, assim que ela me vê, já pergunta o que estou fazendo.

— Nada — respondo.

Não sei por quê, mas prefiro que ela não me veja lendo com os pontinhos do braile. Me sinto idiota. Dou a ideia de irmos até o meu quarto brincar de restaurante, porque sei que ela gosta de cozinhar e sempre assiste ao *MasterChef*. Arrumamos uma mesinha com os pratinhos e os talheres de plástico. Não sei onde estão os copos de mentirinha, então nós enchemos dois copos de verdade com água de verdade. Clara é a garçonete e a *chef*, e eu sou a cliente. Eu finjo que estou olhando o cardápio e escolho os pratos mais complicados. Clara se diverte anotando tudo na mão, depois repete (tudo errado) pro cozinheiro que está na cozinha, ou melhor, dentro do meu armário aberto, e depois finge que está cozinhando. Eu gosto de brincar de restaurante, mas não muito. Depois da terceira vez que refazemos a mesma cena, dou a ideia de brincar de marido e mulher que vão jantar fora, pra mudar um pouco. Nós nos despedimos de Ótimo Turcaret, que fica em casa com a babá, a minha boneca Megghi, e nos acomodamos na nossa mesa. Na hora, as duas pensam a mesma coisa (às vezes com melhores amigos acontece isso), então mudamos todos os ingredientes do nosso drinque e saímos pela casa procurando coisas nojentas pra colocar dentro. A terra dos vasos de flor, sal e pimenta, uma borrifada do perfume do papai e também um pouco de cola bastão que parece baba de lesma. Misturamos tudo com um garfo e voltamos à nossa mesinha.

— Vamos fazer um brinde — Clara diz.

Ela ergue o copo cheio daquela gororoba amarelada e finge que bebe. Eu estendo a minha mão pra alcançar o meu, que está bem aqui à minha esquerda, acho. Mas meu olho fica escuro e, em vez de pegar o copo, esbarro nele e derrubo tudo na Clara, que começa a berrar porque molhou a *legging* com aquele treco nojento. A escuridão fica cheia de aranhas brilhantes, não vejo nada, só escuto o copo que rola e depois um barulho de vidro quebrado perto dos meus pés. A mamãe entra correndo, perguntando o que aconteceu.

Clara quer voltar para casa de qualquer jeito, e não são nem quatro horas. Ouço a mãe dela, que parou para tomar um café e conversar no corredor. Bem devagarinho, a mancha escura no olho esquerdo some, mas Clara e sua mãe já estão na porta com a chave do carro na mão.

— Até amanhã na escola — digo, colocando a cabeça no corredor.

Ela responde só "tchau" e sai.

A mamãe fecha a porta e se aproxima com um pano molhado nas mãos.

— Você quer pão doce recheado de chocolate?

A vovó teria feito com marmelada.

Volto pro meu quarto e começo a ler *O pequeno príncipe*. Só finjo. A mamãe volta pra cozinha devagar, assim posso pegar o meu caderninho. Abro na segunda página, aquela secreta, e com a caneta preta eu risco *ter um melhor amigo*.

6

Ele também usa óculos

Eu gosto do Pequeno Príncipe, mas o personagem que eu mais gosto de todos é o Cosme, o menino que era barão e que vivia nas árvores porque estava bravo com sua família. *O barão nas árvores* é o livro preferido do papai porque a vovó deu pra ele quando ele estava no ensino médio. Ela falava até que conhecia o autor, que eram amigos, tanto que quase chegava a *amá-lo*. Eu entendo pouco disso, para mim, ou você é amigo ou ama, porque se existem duas palavras diferentes para explicar, não é possível que sejam a mesma coisa. A vovó dizia que com os amigos se leem os livros, como Cosme com o bandido. Eu tenho certeza de que eu e Cosme poderíamos ler muitos livros juntos se nos conhecêssemos.

É dia 2 de novembro e não tenho aula.

Vou com a mamãe e o papai ao cemitério para visitar a vovó e outros parentes que não conheço.

Eu gosto do cemitério porque o chão tem quadradinhos pretos e brancos, que nem xadrez, e eu sempre brinco de ficar pulando. Mas no ano passado eu tropecei sem querer em uma senhora e me pediram para parar. Então agora eu acho muito chato ir para o cemitério. A lápide da vovó é feia, tem um anjinho em cima com uma cara meio boba, e ela não acreditava em anjos, mesmo me chamando sempre de "meu anjo".

Mas hoje tem uns meninos jogando futebol na praça em frente ao cemitério. Alguns são da minha classe. Tem um maior que sempre fica perturbando e bate em todo mundo na escola. Eu reconheço ele por causa da jaqueta azul com o nome escrito: Felipe. Só ele tem uma assim. Vai saber onde comprou.

Clara está sentada em um murinho do estacionamento. Pergunto pra mamãe se posso ir lá com eles enquanto terminam de visitar todos os parentes.

— Tudo bem, mas não vá muito longe! — Ela sempre diz isso. Aonde será que ela pensa que eu vou?

Chego perto de Clara, que está conversando com outra menina do quarto ano. Elas me cumprimentam, mas logo voltam a conversar entre si. Estou mais interessada no futebol mesmo. No segundo ano eu treinei o ano todo num time pra meninos e meninas. Eu era a goleira. Depois eu parei porque quebraram meus óculos com uma bolada. Mas eu queria jogar nem que fosse escondida.

Os meninos estão formando time. Eu não consigo contar porque de longe faço um pouco de confusão, mas escuto Marco, um dos meus colegas de classe, dizendo que tem que ir embora porque seus pais já estão indo embora do cemitério. Eu sempre escuto todas as palavras, mesmo de longe, e também os barulhos. Quando a ambulância passa, escuto antes de todo mundo, na escola, em casa, em qualquer lugar. A doutora Olga disse que a minha audição se desenvolveu porque enxergo mal. Mas nem pensando nisso eu me sinto sortuda.

Se Marco está indo para casa, eu posso jogar. Me aproximo do grupo de meninos e pergunto se posso substituí-lo.

O Felipe me olha por cima dos óculos. Ele também usa óculos, eu nunca tinha percebido porque são transparentes.

— Nem a pau. Você é mulher. Não sabe jogar.

— Não é verdade. Eu treinei um ano no gol. Pergunta pra ele.

Aponto um outro menino da minha classe, o Kevin. Os outros olham pra ele.

— Sim, é verdade. Estava no meu time. Mas... não sei...

Acho que ele tem medo que eu erre e faça eles tomarem gol.

— Eu consigo até pular alto — digo para Felipe. — Me coloca no gol.

Ele me olha com uma cara de dúvida. Os outros ficam quietos, exceto um que reclama porque sou menina.

— Se não quiser jogar, vai pra casa — diz Felipe empurrando-o.

Aquele que reclamou fica bravo, mas não vai embora. Enquanto eles pensam no que vão fazer, vou em direção ao gol, que era uma vaga de carro marcada por dois casacos no chão. Os outros meninos terminam de formar os times e o namorado (ou ex-namorado) de Clara tira um apito do bolso da calça jeans. Começamos a jogar.

O nosso time é melhor, os jogadores estão todos amontoados no campo adversário tentando fazer gol. Mas de repente um dos adversários pega a bola e vem na minha direção enquanto ao redor todos os outros gritam. Por segurança, eu saio. O chute é muito fraco, mas quase tomo gol porque vejo a bola bem depois e ela escapa da minha mão. Se ela vai pro gol, me matam. Mas eu consigo pegar e já chuto ela pra frente.

Felipe trapaceia. Dá chutes e joelhadas e nunca passa a bola pros outros do time. Eu sei disso porque, quando ele passa, os outros acabam no chão ou gritam "faz". Mas um menino do meu time vai pra cima dele e depois de um tempo de confusão entendo que Kevin fez um gol porque todos do meu time gritam e correm pelo campo com a camiseta na cabeça como os jogadores de verdade. Eu faço igual. Enrosca nos meus óculos, mas eu nem ligo.

O jogo recomeça e eu nem tenho tempo de me posicionar que Felipe já chega correndo com a bola nos pés e estou sozinha pra defender. Estou bem suada e os óculos começam a ficar embaçados. Não estou chorando, isso é por causa do calor, mas não consigo enxergar bem o que está acontecendo. Me preparo para defender. Por um momento vejo Felipe levantar a perna para chutar sem parar de correr, depois sinto uma pancada forte no ombro esquerdo e sinto que a bola cai perto de mim. Tento não pensar na dor e pegar a bola com as mãos, mas vejo só uma coisa branca que flutua entre mim e o gol e tento tocar.

— Gol contra! — gritam, comemorando e correndo como fizemos antes.

Os meninos do meu time se aproximam de mim, bravos, falam todos ao mesmo tempo e eu... eu não vi mesmo aquela bola chegando. Acho que é melhor eu não jogar mais.

Pego o casaco que eu tinha deixado no chão com os outros e vou pro carro dos meus pais, se é que lembro onde está. Ninguém tenta me impedir. Não me despeço nem de Clara. Escuto Felipe dizendo a todos:

— Vamos começar de novo! Quem quer ficar no gol?

Cosme, por que você não me dá uma mão?

Você gostava de brincar com os outros meninos de Ombrosa, mesmo que na verdade fossem ladrões e você tinha que ser a sentinela lá de cima, nos galhos. Olha, todo mundo tem algum amigo pra quem pedir ajuda, eu não, só tenho o Ótimo Turcaret, que não sabe falar e joga futebol muito mal, eu acho. Você tem que me ajudar porque você tem a turma dos meninos-ladrões, a Viola e um irmão, eu não, se você não me ajudar, faço seu irmão desaparecer do livro com a força do pensamento e faço ele nascer meu irmão, mesmo sem saber como se faz pra nascer um irmão.

Agora que reparei, você não está lá com a vovó? Que veio ficar na árvore com o gigante quando vieram cortar a cerejeira do jardim? Agora você tem também uma vó pra passar o tempo e sabe de uma coisa? Você tem que falar pra ela me dar um sinal, uma ligação, alguma coisa. Qualquer coisa. Porque senão, não vou acreditar que ela está lá e que vocês estão tentando me ajudar.

Cosme, é verdade que você vai me dar uma mão?

7

Jogar futebol com os meninos

— O que *tem* com você?

Estella aprendeu italiano muito bem, mas às vezes ainda erra uma palavra ou outra. Me olha da salinha onde ficam as faxineiras, no pátio de entrada da escola, e os seus olhos me dão medo mais uma vez.

— Nada. Por quê?

— Você está com cara de quem o gato morreu.

— O Ótimo Turcaret está muito bem, obrigada.

Estella não se dá bem com Ótimo Turcaret porque ela tem certeza que ele faz suas necessidades na horta do projeto orgânico quando vem me esperar na saída da escola. Ela não gosta do meu gato, mas sempre sabe quando tem algo errado. Ela também tem o terceiro olho.

— Então o que aconteceu?

Entro na salinha, sento na cadeira com rodinhas e começo a rodar, batendo os pés para dar impulso.

— Nada. É que sou uma desastrada.

Estella pede para eu descer da cadeira, senta-se ali e começa a fuçar no fundo de uma gaveta em busca das batatinhas crocantes que confisca das outras crianças. Me oferece um pacote e comemos um pouco juntas.

— Você é um desastre ambulante, Mafalda. Você nasceu assim.

Paro de comer por um momento e fico olhando meus pés.

— Não. É porque não enxergo.

Ela coloca uma batatinha embaixo do meu nariz e pergunta:

— Quantas batatinhas tem aqui?

— Uma.

— Está vendo como você enxerga?

Jogo as batatinhas que estava comendo na lixeira debaixo da escrivaninha e me dá vontade de chorar.

— Eu não estou nem aí pra quantas batatinhas eu vejo. Eu quero jogar futebol. Quero ver quando a bola está chegando!

— E eu quero ir pra lua amanhã de manhã.

Quando ela faz isso, eu tenho vontade de dar um soco no nariz dela. Mas depois ela sorri para mim com batom cor-de-rosa, e eu tenho vontade de rir também, pensando que amanhã ela poderia não vir para a escola e me ligaria para dizer que está na lua.

Ela também para de comer:

— Mafalda, você não sabe que não é tão importante ver uma coisa ou outra?

— Como não? É importante ver a bola se eu quiser jogar futebol.

— E é tão importante assim pra você jogar futebol?

— Sim. Eu gosto muito.
— Tanto que, se você não jogar, morre?
Eu penso um pouco:
— Ah, também não é pra tanto.
— Então não é essencial.
Estella joga no lixo o pacote de batatinhas vazio.
— O que significa "essencial"?
Ela limpa as mãos com um lencinho de papel, depois pega sua bolsa e tira um livrinho. Folheia, me faz sinal para me aproximar como faz sempre, com a mão abrindo e fechando rápido. Vou para trás do ombro dela e tento ler, mas não consigo. Para mim as palavras dos livros são muito pequenas, são formiguinhas pretas paradas que não querem dizer nada.
— O que é?
Estella lê em voz alta:
— "Adeus", disse a raposa. "Esse é o meu segredo. É muito simples: só se vê bem com o coração. O essencial é invisível aos olhos."
— É *O Pequeno Príncipe*!
— Exatamente. Você não leu na página, mas percebeu que livro era.
— Mas o que tem a ver comigo? Eu não sei o que é essencial.
— Você sabe o que era essencial para o Pequeno Príncipe?
— Acho que a rosa dele.
— E ele podia ver ela?
— Não, porque ele deixou a rosa no planeta dele.

Ficamos um pouco em silêncio. Fico esperando que me explique melhor. Mas ela não explica. Ela se levanta, coloca a mão no meu ombro e diz:

— Encontre a sua rosa, Mafalda. O seu essencial. Uma coisa que você pode fazer até sem os olhos.

Ela me faz girar em direção ao corredor, me empurra para fora e fecha a porta da salinha. Do olho mágico, ouço que ela começa a cantar uma música do Marco Mengoni. Então percebo que é hora de ir e me dou conta de que estou atrasadíssima para a aula de religião. Que é uma chatice. Obrigada, Estella.

Quando estou quase no fim do corredor, ouço ela abrir a porta e dizer com a voz bem alta:

— E nunca jogue comida fora! Da próxima vez, pegue do lixo e leve pra casa pra dar pro seu gato feio!

Uma coisa que posso fazer mesmo sem os olhos. Estou deitada na cama com o meu caderninho aberto sobre os joelhos e Ótimo Turcaret esquentando os meus pés.

É difícil. Sem os olhos, não dá pra fazer quase nada. Droga! Por que justo eu fui ter a névoa Stargardt?

Risco *Jogar futebol com os meninos*, coloco o caderninho debaixo da cama e apago a luz.

Hoje de manhã a cerejeira está com os cabelos castanhos com mechas amarelas como a mamãe. Um, dois, três... trinta, quarenta, sessenta...

Cento e vinte passos.

Tem sessenta metros entre meus olhos e a cerejeira.

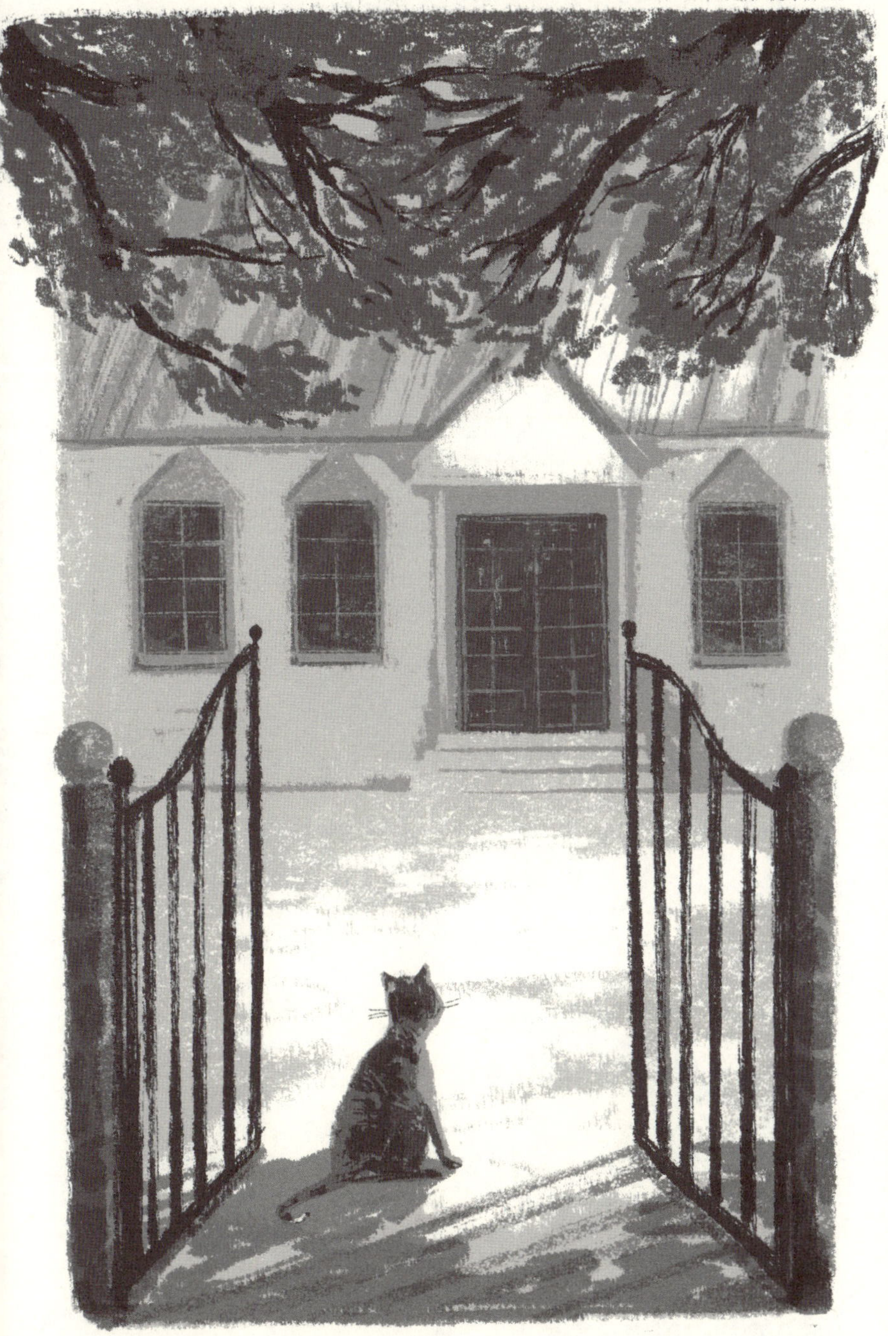

PARTE TRÊS
Cinquenta metros

8

Não ficar sozinha

Eu sou muito boa em cabra-vendada.

Sei que o nome da brincadeira não é bem esse, mas eu não gosto daquela palavra, "cega". Prefiro "vendada" porque, quando brincamos, ficamos no escuro só durante a brincadeira. Eu queria sonhar que estava brincando de cabra-vendada, depois acordar e descobrir que ainda estava com a venda nos olhos, assim eu poderia tirá-la e enxergar bem outra vez.

As outras crianças nunca querem brincar comigo de cabra-vendada, elas acham que eu trapaceio porque consigo encontrar todo mundo mesmo com os olhos vendados. É que eu tenho um truque: fico bem paradinha no meio deles e escuto se alguém se mexe. Assim é bem fácil pegar quem se mexeu, é só ir na direção do barulho. E ninguém espera ser pego assim. Depois de umas vezes que isso acontece, eles ficam bravos e dizem que estou vendo por debaixo da venda e começam a brincar com as cartas do Dragon Ball. Aí eu não posso trapacear nem se me esforçar muito porque não consigo ler nada.

Por isso, estou brincando sozinha no jardim. Mamãe me deixa ficar aqui embaixo enquanto ela toma banho, mas tenho que voltar pra casa antes que ela se enxugue. Mamãe toma banho muito rápido e não usa nem o secador pra poder me vigiar, então posso ficar só oito ou nove minutos mais ou menos. Peguei no armário dela um cachecol bem macio, um escuro, assim não consigo ver nada nem por engano, e cobri os olhos com ele. Agora eu quero ir do galpão de ferramentas de jardinagem até a cerca no fundo do pátio, sem cair e sem esticar os braços que nem um zumbi. Não sei por que faço essa brincadeira, mas eu gosto de tentar andar no escuro. Nas primeiras vezes, eu ficava com medo muito rápido e tirava a venda depois de dois passinhos bem pequenininhos. Agora já caminho tranquilamente. Andar no escuro faz você se sentir estranho, parece que você está nadando entre folhas líquidas e pretas de uma árvore com os galhos que tentam parar você, mas gentilmente, sem puxar sua camiseta. E você vai em frente, se sentindo em perigo, mas também em equilíbrio, você está sozinha, mas é como se estivesse sendo vigiada por alguém que não se sabe quem é, e não é a mamãe da varanda.

Vovó dizia que não podemos entender as coisas se não as experimentamos. Então eu experimento.

Toco suavemente com os dedos nos arbustos secos das hortênsias ao longo do muro do pátio, uso eles como referência pra não ir parar no meio do jardim. Quando ando com os olhos fechados, sempre erro a direção, mesmo tendo certeza de que estou andando em linha reta. Depois de uns passos, uma coisa peluda e rastejante bloqueia o caminho: é Ótimo Turcaret. Eu tenho que parar pra não pisar em cima dele e também pra fazer carinho. Pego ele no colo e chego até o fim do jardim com ele ronronando no meu peito. Ele é quente e pesado. Se não soubesse que ele é cinza, juraria que era um daqueles gatos laranja grandões, com a cabeça enorme e o pescoço gordo. Os gatos de pelo laranja são mais gordões que os outros, vai saber por quê. Aí eu penso em uma coisa: como faz pra reconhecer as cores no escuro? Vou ter que perguntar pra mamãe e pro papai.

A ponta do meu pé toca a madeira da cerca e eu paro. Enquanto penso se me viro e volto ou se sigo a cerca, ouço o barulho do freio de uma bicicleta bem perto de mim, provavelmente alguém parou no estacionamento de trás do meu prédio.

— Oi.

Tiro a venda na hora. A luz da tarde me faz ver umas estrelinhas, mas eu logo coloco os óculos e vejo Felipe com sua jaqueta azul, sentado em uma bicicleta amarela. Ele está com as mãos na cintura com os punhos fechados e está com as pernas afastadas, na ponta dos pés, para não cair daquela bicicleta que deve ser de uma pessoa grande, da sua irmã ou da sua mãe. Está com a mesma jaqueta do dia 2 de novembro, embora já tenha passado mais de um mês e já esteja fazendo friozinho. Ele realmente deve gostar muito de ter seu nome estampado atrás. Assim todos podem reconhecê-lo e saber quem é.

Eu quero voltar pra casa e não falar com ele. Tenho medo de ele me bater como faz com todo mundo, mesmo sabendo me defender. Aperto Ótimo Turcaret contra o peito. Mas eu não acho que ele me defenderia em uma briga. São os cachorros que fazem isso. Os gatos são interesseiros. E não sabem descer de cerejeiras.

— Você sabe por que os gatos não sabem descer de cerejeiras? — A pergunta me saiu assim, sem pensar. A vovó sempre disse que não existem perguntas estúpidas, mas eu estou me sentindo um pouco estúpida agora.

— Quê? — Felipe apoia as mãos no guidão e freia, mesmo parado. Ele parece estar muito surpreso com o que perguntei.

— Nada.
— Você mora aqui?
— Você nem sabe quem eu sou.
— Eu sei, sim. Você é aquela do futebol.
— Eu sou a Mafalda.
— E eu sou o Felipe.

Coloco Ótimo Turcaret no chão.

— Eu sei.

Felipe se inclina para o lado com bicicleta e tudo e enfia uma mão entre as tábuas da cerca para fazer carinho em Ótimo Turcaret. Eu fico um pouco nervosa porque tenho medo que o machuque. Mas Felipe faz carinho atrás das orelhas e Ótimo Turcaret parece gostar.

— Como ele chama?
— Ótimo Turcaret.
— Ele tem sobrenome?

— É um nome composto. Vem de um livro.

— Ah é? Que livro?

— Você não conhece. É de gente grande. É o livro preferido do meu pai.

— O meu pai também gosta de ler. Ele sempre lia uma história pra mim antes de dormir.

— O meu também lê.

Não me parece legal perguntar por que ele disse "lia". Talvez seus pais tenham se divorciado e seu pai não more mais com eles. Geralmente quem tem pais divorciados fica bravo quando alguém pergunta. Então eu fico em silêncio.

— E aí, que livro é?

— Qual?

— O preferido do seu pai.

Não estou com vontade de falar, mas ele colocou de novo os punhos na cintura e estou com um pouco de medo.

— *O barão nas árvores*.

— Você leu?

Não entendo por que está tão interessado.

— Sim. Meu pai leu pra mim.

— Então você não leu.

— É a mesma coisa.

Felipe apoia o queixo nas mãos e o cotovelo na cerca:

— Ele leu pra você porque você é cega?

Sinto meu rosto ficar todo vermelho e os óculos se cobrem de névoa.

— Não sou cega.

Pego Ótimo Turcaret no colo pra voltar pra casa, mas o cachecol da mamãe cai e eu não consigo encontrar.

— Mas você enxerga bem pouco, né?

Não respondo e continuo procurando o cachecol por alguns segundos, tocando a grama fria e seca com a mão que está livre. Depois decido deixar pra lá e vou embora.

Dou as costas a Felipe. Ele foi mau: eu não perguntei nada sobre os pais divorciados dele. Ouço um barulho confuso de pedais e correntes de bicicleta batendo, depois um baque e seus pés se aproximando de mim sobre a grama seca do jardim.

— Sai — digo sem me virar.

— Toma.

Quando alguém fala "toma", geralmente está dando alguma coisa, então estendo a minha mão em meio à névoa e toco uma coisa de tecido bem macia. O cachecol.

— Mafalda!

A voz da mamãe me chama toda preocupada da porta da varanda. Eu sei que se passaram mais de oito ou nove minutos desde que ela entrou no chuveiro. Me vem o impulso de correr imediatamente pra dentro do portão, mas depois me lembro que, quando alguém pega uma coisa do chão pra você, uma coisa que você não conseguia encontrar e que não era sua, e que você pegou sem permissão, você precisa dizer obrigado.

Paro na entrada e vejo uma mancha azul desfocada indo embora. Não quero dizer obrigada em voz alta com a mamãe me olhando lá de cima.

— Venha pra dentro!

Entro no prédio. Um pouco antes de o portão fechar escuto a bicicleta passar na rua cheia de alegria tocando a campainha, e continua fazendo drim drim até quando o barulho é muito *pequeno,* mesmo pra mim, e posso só imaginar aonde está indo o dono daquela campainha, que parece tão feliz e livre. Queria chamá-lo de volta, pedir pra ele me dar uma carona na garupa, porque faz muito tempo que não corro bem rápido de bicicleta, nem a pé. Mas ele é livre, usa óculos transparentes e pode ir aonde quer. Eu estou na prisão, como se a polícia federal tivesse me prendido, só que as grades são feitas de névoa e todos os meus companheiros de cela já fugiram.

No meu quarto, ainda vestida com o roupão de banho, deito na cama e pego o meu caderninho. Abro na segunda página, aquela das coisas importantes. Com uma linha preta risco *Não ficar sozinha*.

Hoje de manhã na minha carteira da escola tinha um bilhetinho dobrado em quatro. Quando eu vi, pensei que era uma borboleta daquelas brancas, mas pensando bem, é impossível. Faz muito frio para as borboletas, elas saíram todas de férias ou foram para o tronco de uma árvore como a vovó e o seu gigante.

Eu nunca recebo bilhetinhos. Toda vez que a professora vira para escrever na lousa, os meus colegas começam a jogar pacotinhos de lencinhos de papel cheios de bilhetes uns para os outros. Para dizer o quê, eu não sei. Não jogam pra mim. Eu estou sentada na primeiríssima carteira porque senão, não consigo ler nada na lousa e perco todas as lições de casa, mas escuto os bilhetes voando atrás de mim, e de vez em quando um pacotinho bate nas minhas costas e cai no chão fazendo um barulho tipo *pof*. Uma vez eu virei pra pegar do chão e a professora viu e gritou comigo porque pensou que eu tinha escrito o bilhete. Os outros começaram a rir, então eu decidi deixar os bilhetinhos pra lá.

Mas esse aqui é só pra mim, está na minha carteira como uma borboleta pousada em uma flor. Vou ler no banheiro porque é privado e não quero que meus colegas de sala me vejam lendo, fico com vergonha. Pra ler, mesmo que a letra seja muito grande, tenho que chegar muito, muito, muito perto da folha, como as pessoas velhas no supermercado que não conseguem ler a data de validade nos pacotes de salada. Mas eu não sou velha. O papai comprou uma lupa para mim, disse que posso usá-la como Sherlock Holmes, o investigador que encontramos sempre nos livros e nos filmes. Mas eu não quero usá-la na frente das pessoas de jeito nenhum.

Então eu vou ao banheiro das meninas com o bilhete em um bolso do uniforme e a lupa no outro e tranco a porta.

Abro o bilhete. Está escrito assim: *Para responder às perguntas você fica toda vermelha. Você é a minha pequena princesa, aliás, a minha baronesa.*

9

Inventar caminhos na calçada que, se cair, vai parar na lava e morre

No inverno, a cerejeira da escola fica muito triste.

As suas folhas saem de férias junto com as borboletas, e o gigante que mora dentro dela colhe todas as flores dos galhos para fazer uma coberta colorida só para ele.

Sem a sua bela copa, não consigo ver a cerejeira de longe. Sorte que tem o assobio de Estella pra me avisar que estou quase chegando, apesar de que o papai também me avisaria de qualquer forma. Antes, eu era pequena demais para vir à escola sozinha, agora tenho a névoa de Stargardt e nunca me deixarão andar por aí sem uma pessoa grande. Se Ótimo Turcaret fosse um cachorrinho, como o bassê que Cosme tinha no livro (que na verdade não era seu, mas de Viola), ele poderia me guiar. Eu podia tentar adestrá-lo, mas ele não é tão inteligente. Mas eu gosto dele mesmo assim porque ele me espera do lado de fora da escola e ninguém mais tem um gato que espera do lado de fora da escola.

No sinal da uma hora, devemos fazer uma fila dando a mão a um colega, mas a minha classe sai toda bagunçada e a professora nunca consegue verificar se todos vão embora com os pais certos. Estella me acompanha até o portão, os meus pais pediram pra ela. Mas hoje ela não está. Vou até a salinha dos faxineiros perguntar se sabem onde ela está, e o funcionário mais velho, o careca com a camisa sempre suja de molho, me diz que ela saiu mais cedo para ir a uma consulta. Não sei o que ela precisa consultar. Ele não me pergunta nem se quero que me acompanhe até o portão. Está sempre trancado na salinha preparando o café e não está nem aí pros alunos, exceto quando alguém se machuca, porque é ele quem deve passar álcool e colocar esparadrapo, e faz isso muito mal.

Saio da escola e paro bem no portão. Mamãe e papai querem que eu espere ali. Às vezes eles atrasam uns minutos porque os dois trabalham em outra cidade e têm que correr com o carro pra chegar a tempo de me pegar.

Não tem quase mais ninguém por ali. A van já partiu, os carros dos outros pais estão indo embora. Perto de mim passa um grupo de meninos de bicicleta e parece que entre os gritos e a algazarra eu escuto uma campainha conhecida. Quando se afasta do grupo, que pra mim é um emaranhado de cores que se movimentam todas juntas pela linha branca da calçada, também reconheço o barulho dos freios e a jaqueta azul.

— Oi.

— Oi.

— Está esperando seus pais?

Como no outro dia, sinto uma carícia bem macia entre os tornozelos. Pego Ótimo Turcaret no colo e decido, sem pensar muito, que vou andando para casa.

— Não. Estava esperando ele.

Felipe faz carinho na cabeça de Ótimo Turcaret enquanto o ultrapasso, e eu começo a andar pela rua o mais rápido que posso e ele fica para trás. A mamãe vai ficar muito brava quando chegar e não me encontrar, vai pensar que eu fui raptada, mas eu continuo caminhando. Quero que Felipe pense que eu estou voltando pra casa sozinha e que faço isso todos os dias. Então, eu tenho que parecer muito tranquila. Se eu encontrar agora o carro da mamãe ou o do papai, vou acabar encrencada e vou fazer um papelão na frente dele. Portanto, em vez de continuar reto pela rua, pego a primeira à direita e depois viro de novo em uma outra ruazinha.

Ouço a bicicleta de Felipe freando de novo perto de mim.

— Que caminho você está fazendo? — me pergunta pedalando bem devagarinho.

Não me lembrei que ele sabe onde moro. Fico toda vermelha e não respondo.

— Eu acho que você está perdida. Vou acompanhar você.

— Não, obrigada.

Não entendo por que está me seguindo. Talvez esteja querendo roubar Ótimo Turcaret de mim. Ele parece gostar muito do meu gato. Tenho que trocar de rua e mandá-lo embora. Mas eu me distraí e não sei direito para qual direção devo ir. Tento ler a placa com o nome da rua, mas no lugar das palavras vejo as formiguinhas pretas de sempre.

Felipe ainda está atrás de mim.

— Eu falei que você estava perdida. Vem, eu vou com você.

— Não.

— Não quer ir pra casa?

— Não. Vou dar uma volta.

Lembro da brincadeira dos caminhos estranhos. Subo na borda da calçada e começo a brincar.

Felipe me segue.

— O que você está fazendo?

— Uma brincadeira.

— Que brincadeira?

— Tem que andar reto em uma linha e, se cair pro lado, vai parar na lava e os crocodilos comem você.

— Os crocodilos estão na lava? E como fazem pra viver?

— Não importa. É de mentirinha. Mas se cair, perde.

— Por quanto tempo tem que ficar andando na linha?

— Não sei. O máximo que puder.

— Que jogo estúpido.

Felipe pisa nos pedais e vai embora sem se despedir.

É, fiz um papelão e ainda por cima me perdi. Por via das dúvidas, continuo brincando de caminhos estranhos, porque parece que ainda escuto a bicicleta de Felipe e, se ele voltar, tem que parecer que eu estou realmente dando uma volta.

Chego em casa quase sem querer, e já passou uma hora do horário de saída da escola. Esta é outra coisa que sei fazer, calcular dentro de mim o tempo que passa. Mas isso não me ajuda neste momento.

A mamãe está no portão do condomínio com o celular na orelha. Assim que ela me vê, corre na minha direção, se ajoelha e me abraça tão forte que eu não consigo respirar.

— Estávamos mortos de preocupação. Que bom que está bem. O que aconteceu?

O papai desce correndo a escada e também me aperta entre seus braços fortes.

Eu não consigo confessar logo de cara que fui embora sozinha, porque eles vão me dar bronca com certeza.

Eles me olham com uma cara toda preocupada e então digo a verdade. Metade.

— Eu queria voltar pra casa sozinha, mas me perdi. Desculpa, mamãe.

Procuro também fazer uma cara preocupada e triste. Geralmente funciona.

Desta vez não. O papai explode:

— Nós falamos mil vezes para você esperar em frente à escola! Você não pode voltar sozinha, você sabe disso.

— Giovanni — diz a mamãe colocando a mão sobre o braço dele.

A mamãe sempre faz isso quando acontece alguma coisa séria que faz o papai ficar bravo. Assim ela o acalma. Outras vezes ela o chama "Gio, meu amor". O papai então sobe a escada batendo os pés e resmungando.

Também subimos pra casa e já do corredor sinto o cheiro de pizza de salsicha alemã, a minha preferida. A mamãe me faz entrar na cozinha e me dá um pedaço bem grande, mesmo depois de eu ter feito ela morrer de preocupação. Serve uma pro papai também, que não agradece, mas coloca a mão no braço dela enquanto ela está inclinada sobre o seu prato com a espátula de pizza na mão e olha para ela. Nesse momento me vem o pensamento de que a mamãe e o papai são quase amigos.

Está de noite. Coloco o pijama azul e pego Ótimo Turcaret no colo. Me aproximo da janela do meu quarto, mas não apoio Ótimo Turcaret no peitoril da janela para ele não pegar friagem. Olho para fora.

Por um momento o meu coração pula e bate muito rápido por baixo do moletom do pijama. Não vejo a Estrela Polar. A lua sim, está bem de frente para mim e brilha como um lampião. Mas a estrela que está sempre ali perto dela, não. Não consigo distingui-la. Quero chamar a mamãe, dizer que o fósforo de Jesus apagou, mas depois decido ficar quieta. Aperto os olhos, fecho um, depois o outro. Nada. O céu azul-escuro parece limpo, liso, não tem nuvens. As nuvens estão nos meus olhos e cobriram a Estrela Polar. Vou pedir de Natal aquelas lâmpadas que projetam estrelas no teto, que é mais perto do que o céu, assim quem sabe consigo enxergar algumas ainda, cinco ou seis, ou até mesmo catorze ou quinze. Mas enquanto isso eu sei o que tenho que fazer: pego o meu caderninho, folheio e com a caneta preta risco *Inventar caminhos na calçada que, se cair, vai parar na lava e morre.*

Cosme, quando é que você vai me dar uma mão?
Sabe, nestes dias quase achei que você estava me ajudando, nem sei por quê. Mas depois acontece sempre alguma coisa ruim, e eu percebo que você não está ali, que está jogando xadrez em um galho com minha avó com seu chapéu de pelinhos e não está nem aí pra mim. Você está no calor e com um chapéu de pelinhos, e eu tenho que escapar dos monstros do escuro; se eles me encontrarem, vão me devorar, e como faço pra me salvar? Me diz, Cosme!

10
E quando é que a luta termina?

Natal.

E está chovendo. Que droga.

Escuto o barulho da chuva tão forte, mas tão forte, que encobre todas as outras coisas. Estou em frente à janela do meu quarto embaçando o vidro com o meu hálito. Desenho por cima uma estrelinha com o dedo. Sinto o vidro gelado contra a minha testa. Parece que estou em um outro mundo, com a chuva que bate no meu coração.

Não escuto nem a mamãe me chamando para abrir os presentes. Só me dou conta quando ela põe a mão no meu ombro e me diz que está na hora. E eu lembro que não pedi para ninguém me dar a lâmpada projeta-estrela.

É de manhã, quase de tarde, e daqui a pouco tenho que colocar um vestido quadriculado vermelho e branco que cansa os olhos para ir almoçar na casa dos meus tios. Ainda bem que meu primo e a Ravina, sua namorada indiana, também vão estar. Com eles me divirto um pouco pelo menos.

Não olho o vestido, que está estendido na minha cama, e sigo a mamãe até a sala. A nossa árvore de Natal está viva por um milagre. Os meus pais não são muito bons com plantas. Esse pinheiro, que colocamos perto da varanda para pegar luz, já tem tantos galhos secos que parece que não aguenta mais nem aquelas bolinhas de vidro bem levinhas. E a vendedora do shopping tinha falado que duraria até a primavera. Mas Ótimo Turcaret não podia fazer xixi no vaso. Eu não vi, mas senti o cheiro. Me sento no tapete perto da árvore e cheiro os presentes. Me parecem estar a salvo. O papai os colocou debaixo dos galhos mais baixos ontem à noite, pensando que eu estivesse dormindo. Mas como faz para dormir quando chega? Uma coisa muito bonita do Natal é que ele chega para todo mundo. Chega também para aqueles como eu, que sem os óculos veem apenas a lua.

A mamãe coloca meu presente em minhas mãos. É um pacotinho bem pequeno, dourado, bem fechado com um laço vermelho ao redor. Dentro tem um MP3 *player* e fones de ouvido para ouvir música.

— Aí já estão baixadas as suas músicas preferidas.

É um bom presente. Não esperava.

— Posso colocar nele livros também?

A mamãe olha para o papai. Ele se ajoelha no tapete perto de mim.

— Como você sabe que existem livros que dá para escutar?

— O meu professor de apoio me falou.

O papai faz carinho na minha cabeça como faço com Ótimo Turcaret. A sensação não é ruim.

— E quais livros você gostaria de ouvir?

Eu olho pra ele empurrando os óculos no nariz com o indicador.

— O seu preferido.

Papai sorri.

— Está bem. Me dê uns dias. Vou baixar para você.

Depois me dá o seu presente. É maior que o da mamãe, e mole. Abro bem devagar. Esperamos que não seja um suéter. Quando os parentes dão roupa de presente, sempre erram o tamanho e geralmente pensam que você gosta de uma cor que, na verdade, você odeia. Mas você não pode falar nada. É coisa de gente mal-educada. E depois sempre que você vai visitá-los tem que colocar o suéter errado que ganhou.

Mas isso não é um suéter. Tiro do papel rasgado uma grande coberta coloridíssima e abro sobre meus joelhos. São quadrados de lã costurados com tricô, cada um de uma cor diferente: amarelo, cor-de-rosa, verde... São cores bonitas, fortes. Passo uma mão na coberta. A lã não pinica como a dos suéteres errados, é macia e sedosa. Dá vontade de me enrolar nela e ficar parada no tapete escutando a chuva.

Que presente estranho vindo de um pai. Acho que ele percebeu que fiquei sem entender, porque está sentado perto de mim e me explicando que a coberta era o presente da vovó para os meus dez anos.

— Ela trabalhava na coberta até tarde da noite pra terminar a tempo os dez pedaços. Sabe, ela começou a preparar essa coberta um pouco antes de ir ao hospital. Você lembra quando fomos levá-la?

Olho pra dentro da coberta pra não olhar nos olhos do papai.

— Sim.

Aí eu penso em uma coisa:

— Por que ela não fez só oito pedaços? Terminaria antes. Eu fiz oito anos quando ela foi morar na árvore.

— Ela gostava de surpresas. Não queria estragar a surpresa quando você fez oito anos. Ela queria que você tivesse uma recordação dela mesmo depois de um tempo.

— Ela queria voltar?

— Mais ou menos.

Estou feliz. Estou tão feliz que me esqueço de dar os meus presentes pra mamãe e papai. Mas também eram só dois desenhos do rosto deles, dois retratos que fiz escondido olhando bastante para a fotografia do casamento deles que fica no quadro de prata da entrada. Vou colocar no travesseiro deles hoje à noite.

Antes de começar a me arrumar para o almoço, me vem à mente uma coisa:

— Mas hoje não é o meu aniversário de dez anos.

A mamãe e o papai se olham por um instante. Depois a mamãe responde:

— Pensamos em antecipar a surpresa uns dois meses. Não aguentávamos mais esconder a coberta. Estávamos muito ansiosos.

Eles ficam sentados perto de mim em silêncio por uns minutos, depois começam a trocar presentes. Eu queria dizer pra eles que eu entendi tudo, que eles fizeram muito bem em me dar essa linda coberta agora. Agora que ainda posso vê-la. Coloco a coberta sobre os ombros, e sobre os chinelos caem os remendos vermelhos e azuis. E de repente me lembro de uma pergunta que queria fazer para eles:

— Quando eu estiver no escuro, vocês vão me mandar pra escola de cores?

Eles param de agradecer pela troca de presentes e percebem que não sabem o que dizer.

Ravina está muito bonita hoje. Ela fez uma trança nos cabelos que chega até a cintura e pintou os olhos de azul. Está com um vestido normal, não indiano, e, mesmo não sendo da nossa religião, ela tem cheiro de igreja. Tem sempre cheiro de igreja porque tem o mesmo cheiro daquela fumaça branca que o padre espalha nas pessoas durante a missa. Assim que me vê, me abraça forte e logo me dá o seu presente, um pôster com um flamingo e uma rã.

A rã está no bico do flamingo, mas ainda não foi comida porque com as patas da frente está apertando o pescoço do flamingo. Pela cara do flamingo, se vê que está tentando engoli-la, mas não consegue porque está com o pescoço apertado. Embaixo do desenho está escrito NEVER EVER GIVE UP. Pergunto o que significa.

— Nunca, nunca desista. Como a rã.

Eu começo a rir:

— Mas ela já era!

Ravina toca com o dedo no meu nariz:

— Ainda não, Mafalda. Ainda não.

— E quando é que a luta termina?

— Quando um dos dois desistir.

— Quem você acha que desiste primeiro?

Ravina olha o pôster por um instante.

— Isso não é importante. O importante é nunca, nunca desistir.

Eu chego mais perto do pôster para observá-lo melhor. A rã me parece bem incômoda, com a cabeça inteira dentro do bico do flamingo e as patinhas de trás penduradas.

— Sim, mas que canseira.

— Então você quer terminar mastigada e digerida?

— Não! Que nojo!

— Então...

— ... nunca desista. Entendi. Obrigada. Hoje à noite penduro no meu quarto.

11

É problema meu!

A mamãe coloca salto alto só duas vezes por ano, tirando quando me leva para a médica: no dia do aniversário com o papai, mesmo que geralmente passem em casa com uma jantinha preparada por ela, e no último dia do ano, ou seja, hoje.

Escuto a mamãe indo e vindo para lá e para cá na cozinha enquanto arruma os copos e os salgadinhos de aperitivo que acabou de preparar com o papai. Me deram um refrigerante e me mandaram ir para o quarto me vestir. A mamãe me colocou dois laços cheios de brilhinhos no cabelo e um pouco do seu perfume, que é muito forte para mim, mas é o perfume da mamãe, e eu gosto.

Enquanto estou de frente para o espelho, no meu quarto, tentando esconder os laços com brilhinhos embaixo do cabelo, percebo que mamãe e papai começaram a falar alguma coisa que eu não posso ouvir, porque abaixam a voz e sussurram um pro outro. Eu fico com vontade de ouvir escondido, mesmo que isso não se faça. Me aproximo em silêncio da porta do corredor. Os saltos da mamãe ainda não se acalmaram. Me concentro pra entender o que ela está dizendo e por que fala tão baixo.

— Não vai ser fácil, por um tempo.

Uma cadeira arrasta no chão. O papai se levanta.

— Tem certeza que quer fazer isso?

— Sim, infelizmente.

— Não pode tirar uma licença?

— Pra quê? Em pouco tempo vai ficar pior. Vou ter que ficar com ela o dia inteiro.

Ela sou eu.

Escuto os dois suspirarem, parados. Não tem mais copos para arrumar.

— Você já falou com seu chefe?

— Eu mencionei a situação pra ele. Ele disse que não pode mudar meus horários de entrada e saída, porque já tenho dispensa para as consultas da menina. Disse que se eu pedir demissão me dá uma boa indenização.

Demissão? O que isso significa?

— Vamos esperar. Quando você pararia?

— Primeiro de fevereiro.

— Está bem. Talvez seja o melhor a fazer. Vou fazer horas extras no escritório. Temos que começar a pensar na casa também.

Não entendo. Tenho tantos pensamentos na cabeça, como as borboletas brancas que voam no tronco da cerejeira.

— A agência me passou uns contatos. Segunda-feira começo a ver apartamentos perto da escola.

— Você explicou pra eles que não pode ter escada?

— Sim. E também que não podemos gastar muito.

Me escapa um espirro e fica um silêncio na cozinha. Por um instante, fica silêncio na casa inteira.

— Mafalda, está pronta?

Saio no corredor.

— Sim, mamãe.

— Então vamos.

É meia-noite e quarenta e cinco e estou dormindo na cama dos meus tios, enquanto os grandes bebem em copinhos pequenos e falam em voz baixa na sala.

Na verdade não estou dormindo. Continuo pensando na conversa que ouvi antes. Se eles querem realmente mudar de casa, como faço? Como faço se vamos para uma casa onde não se vê a lua da janela do meu quarto? E não vou poder ver mais nem a casa da vovó, mesmo que agora estejam morando lá os vizinhos que não cumprimentam. E Ótimo Turcaret. E se ele não gostar da casa nova? Ele está muito habituado a esta casa e não sei se vai querer se mudar pra outro lugar.

Tenho que fazer alguma coisa. Perto da cama está a minha mochilinha com as roupas para amanhã. Trouxe também o estojo, folhas pra desenhar e o MP3 *player* que o papai e a mamãe me deram de Natal. Procuro-o no escuro, coloco os fones de ouvido e pressiono o botão redondo. Estou escutando o livro preferido do papai. A voz bem forte de um homem, que parece um idoso, recomeça a contar.

— *Aonde é que você vai?*

Podíamos vê-lo através da porta de vidro, enquanto no vestíbulo pegava o tricórnio e o espadim.

— *É problema meu!* — *Correu para o jardim.*

Logo, pelas janelas, vimos que ele trepava no carvalho ílex.

Aperto o *stop* e com um pulo me sento na cama. É isso. Eu também vou viver na árvore, como Cosme. Vou subir na cerejeira da escola e vou assistir às aulas da janela, escondida entre os galhos, assim ninguém vai me ver.

Tenho que me organizar, porque daqui a pouco vou ficar no escuro e não vou poder mais levar para baixo e para cima da árvore tudo aquilo de que necessito. Preciso de um plano. Pego uma folha e o estojo da mochilinha e faço tocar novamente a voz do homem idoso.

Estava vestido e penteado com muito esmero, como papai exigia que fosse para a mesa, apesar de ter só doze anos: cabelos empoados com uma fita atando a trança...

Escrevo na folha que devo procurar o que significa "empoados", mas a fita para o cabelo eu tenho. Vamos em frente.

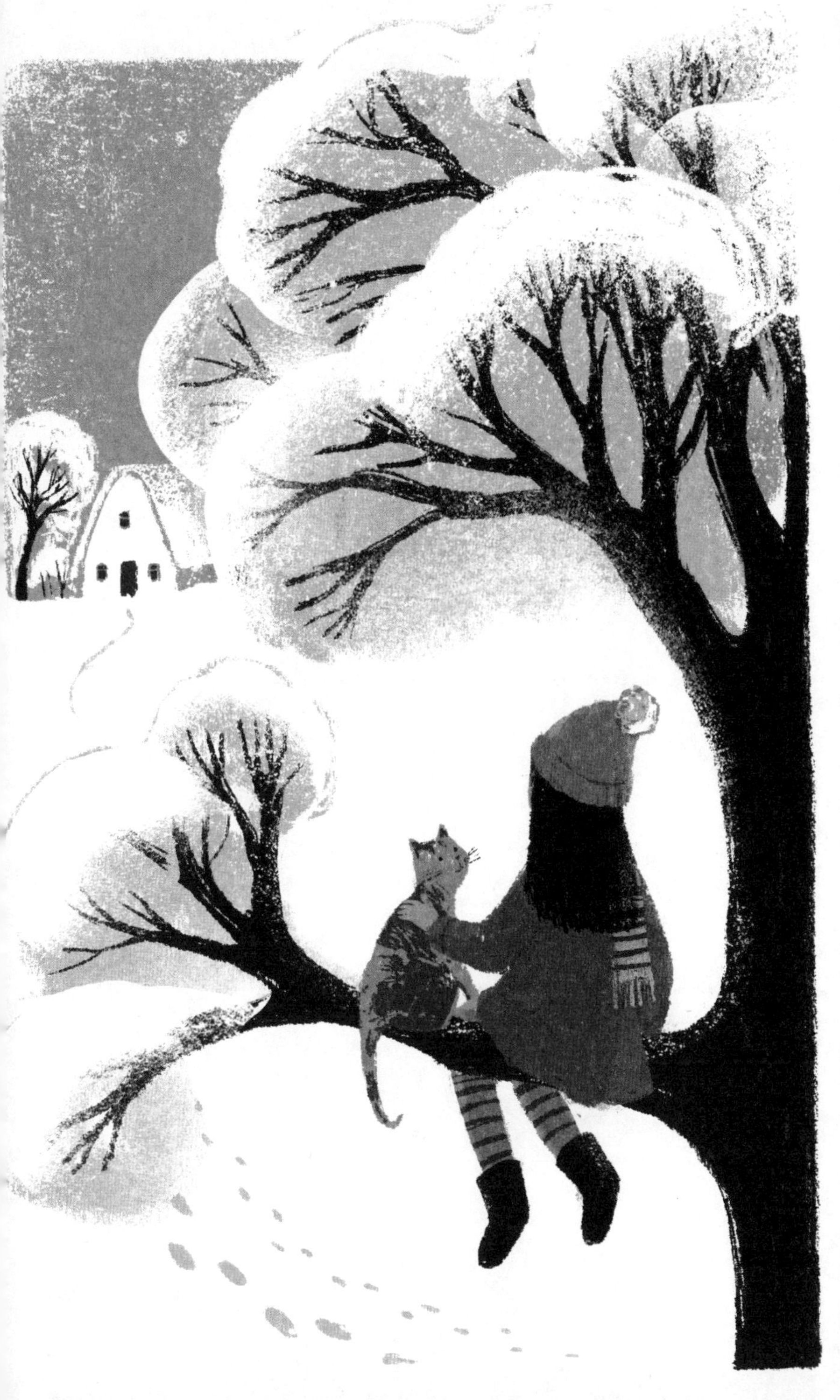

PARTE QUATRO
Quarenta metros

12

Ver como será o meu rosto quando eu for grande

Uma panela pra fazer comida;
um colchão pra dormir mais confortável;
o MP3 player;
a coberta da vovó;
canetas, cadernos, lápis;
um guarda-chuva grande para me proteger da chuva;
um...

— Mafalda, o que você está fazendo?

Escondo a folha com a lista das coisas que tenho que levar para a cerejeira entre as páginas do livro de exercícios. A professora me vê, estou na primeira fileira bem em frente à sua mesa, mas ela finge que não viu nada. Me fala só pra prestar atenção na explicação.

Eu pego o lápis com o dinossauro que a doutora Olga me deu, como se quisesse começar a fazer anotações, e a professora se vira novamente para a lousa.

— Então, os músculos se dividem em músculos longos e músculos curtos...

Os músculos. Quem se importa se são longos ou curtos? Paro de ouvir na hora, mas continuo a olhar na direção da professora para não deixar ela perceber, e começo a passar a lista mentalmente.

Uma panela pra fazer comida

Hum, eu ainda não pensei em como vou procurar comida, já que estarei lá em cima. Posso levar um pequeno estoque pra começar. E tem também o problema da cama. Para mim poderia ser um colchãozinho de praia para apoiar em dois galhos próximos. Clara tem um desses de casal. Seus pais levaram no lago a última vez que viajamos todos juntos, com os pais e as mães. Já faz um tempão, mas eles ainda devem ter o colchãozinho. Ou compraram outro. Eles são bem ricos. Quem sabe Clara me empresta. Eu acho que não. Já não somos tão amigas. Tenho que pegar emprestado sem pedir. Robin Hood também fazia isso, né? Roubava dos ricos para dar aos pobres. Clara é rica e eu é como se não tivesse nada, agora que vou morar na árvore sozinha. Se eu fosse mais velha, poderia comprar essas coisas com o meu dinheiro, mas se eu for esperar crescer, vai acabar que não vou conseguir a tempo: o escuro dentro dos olhos cresce muito mais rápido do que eu.

Olho ao redor para ver quem mais é rico na minha classe para eu poder pegar alguma coisa emprestada sem pedir. Tenho que virar para trás para conseguir olhar, mas tudo bem porque a professora está concentrada desenhando os músculos com o giz vermelho. Os meus colegas nem percebem que os estou espiando, eles também estão concentrados desenhando, mas eu apoito que eles não estão copiando os músculos da lousa. Kevin, que está sentado atrás de mim, está com um lápis verde na mão, com certeza está desenhando suas amadas cobras. Eu sei que ele até queria ter uma, mas ele não pode comprar. Ele não é rico.

Mais para trás não consigo ver muito bem o que está acontecendo, mas tudo está se movendo, está agitado, consigo ouvir. Acho que Clara e Marina estão brincando de verdade ou desafio com os dois que estão sentados na frente delas, Cristiano e Lorenzo, e todos em volta estão rindo. Ah, o Cristiano é rico, ele tem piscina e todo ano vem para a escola com uma mochila nova de marca cara.

Da fila de carteiras perto da janela vem um espirro muito forte.

— Que nooojo! Você cuspiu no meu caderno! — Escuto Francesca, que veio este ano transferida da Sicília. Pobrezinha, tem razão, o seu colega de carteira é o Albertinho, o apelido dele é "Bola", um menino baixinho e todo redondo e rosa como um balão, que continua comendo mesmo fora da hora do recreio. Eu consigo até enxergar os pedaços de pão, salada e maionese espalhados pelo caderno dele e pelo de Francesca: de fato foi um espirro dos grandes.

A professora se aproxima da carteira deles e pede para Bola limpar. Ela grita com ele porque ele estava comendo durante a aula, e ele ainda tira de baixo da carteira uma caixa muito bonita, rosa como ele, e todos começam a rir. Parece ser uma marmita. Eu já tinha visto outras vezes: é daquele tipo que mantém a comida quente, o papai tem uma igual para levar o almoço para o trabalho, mas verde. Com uma dessas, não preciso me preocupar em esquentar a comida quando estiver na árvore. Mas não posso pegar a marmita do papai, ele usa para o trabalho. Vou ter que pegar a do Bola, e eu sinto muito, porque ele não é muito rico. Mas assim quem sabe ele não para de comer fora de hora. A professora ainda está ocupada com as migalhas do Bola. Bem, pego a folha com a lista que eu tinha escondido no meio do livro e escrevo tudo aquilo que tinha pensado hoje de manhã.

Estamos guardando o material para ir para casa. Batem à porta e Estella entra com um aviso.

Ela não quis me dizer em que consulta ela foi no mês passado, o dia em que não foi à escola.

— Não interessa — falou de qualquer jeito. E depois, vendo que eu a encarava, completou: — O dentista. Muitas batatinhas.

Me fez esboçar um sorriso. E quando eu e ela começamos a rir, é impossível voltar a falar sério.

— Crianças, um momento de atenção, por favor: aqui está o aviso da excursão. Vocês devem escrever no caderno o horário e o local de partida.

Eu tinha esquecido que semana que vem vamos fazer uma excursão na neve. Isso pode ser um golpe de sorte pra mim, porque todo mundo vai levar coisas que preciso. Rabisco as palavras ditadas pela professora em uma página qualquer do caderninho, porque estou ansiosa demais para a minha aventura de Robin Hood. Estella, que está esperando a assinatura da professora na cópia do aviso, olha para mim e acena com a cabeça. Se abaixa sobre a minha carteira e cochicha:

— Depois vai na salinha que eu colo o aviso no seu caderno.

E eu vou até a salinha de Estella. Sempre vou lá. Mesmo que ela esteja quase sempre com a cara amarrada e às vezes me enrole toda como se eu fosse uma meia, que parece que ela quer me colocar na máquina de lavar e me centrifugar. Acho que é por isso que sempre vou lá: porque ela não finge nada. A mamãe e o papai fingem. Os professores e as outras crianças também. Só Estella e Ótimo Turcaret se comportam com sinceridade, e para mim isso é importante. Ou talvez eu goste de estar com Estella só por causa de suas histórias.

Este mês estamos lendo um livro que se chama *Coração*. Ela acha que é um pouco meloso, mas eu adoro Garrone, ainda mais quando ele assume a culpa no lugar de outro, e o professor percebe só de olhar nos olhos dele. *Não foi você*, o professor diz para Garrone, e ele volta ao seu lugar todo triste, mas mesmo assim ele fez bonito.

Largo o material embaixo da escrivaninha da salinha e me afundo na poltrona que gira. Para dar impulso, apoio as mãos na escrivaninha e bato no livro *Coração* com a ponta dos dedos. Pego o livro e o aproximo dos olhos girando na cadeira. Já que não tem ninguém por perto, exceto Estella, que está tirando cópia do aviso da excursão, pego a minha lupa do bolso do uniforme e a uso para ler o nome do escritor: Edmondo De Amicis. Italiano. Não me lembrava mais.

Estella revira o meu material em busca do meu caderninho, abre na página certa e joga pra mim junto com um tubinho de cola.

— Você é capaz de colar sozinha.

Começo a passar a cola na folha, e a olho através dos óculos.

— Estella, não existem escritores romenos?

— Romenos? Claro que sim. Por que não deveriam existir?

— Porque a gente nunca lê histórias da Romênia.

Ela me sorri de cor-de-rosa e agora estou feliz de ter ido à salinha.

— Sabe qual é a história da Romênia mais famosa do mundo? *Drácula*.

Eu me levanto num pulo da cadeira, que fica girando.

— Drácula? Drácula é romeno? Eu pensava que era inglês!

Estella se senta e cruza as mãos sobre os joelhos com um ar sorridente que me dá até calafrios, mas calafrios bons. Eu amo histórias de terror.

— É da Transilvânia, que fica na Romênia. O nome dele significa "filho do diabo". Quando eu era pequena, a minha avó me contava essa história e eu morria de medo. Mas era uma história bonita.

Me ajoelho na frente dela, que começa a rir.

— Estella, por favor, me conta do jeito que a sua avó fazia? Por favor, por favor, por favor!

— Você também gosta de sentir medo?

— Sim.

— E por quê?

— Não sei, por que você gostava?

— Porque assim eu tinha a certeza de ainda estar viva. Quando sentia medo.

— Eu também — rebato, mesmo sem ter entendido. Mas Estella não pode me deixar ficar na escola, ela olha pela janela da salinha e vê o carro da mamãe. Joga o material na minha mão.

— Hoje não tem tempo. Fica para outra vez. Ah, Mafalda...

Paramos no portão. Estella aperta a minha mão.

— Queria perguntar se você pensou sobre o seu essencial.

Eu olho para o chão. Escuto quando ela se abaixa até encontrar meus olhos.

— Você precisa pensar nisso. É importante.

— Ok, mas posso falar daqui a um tempo?

Subimos a escadaria. Vejo a nuvem vermelha do carro da mamãe do lado de fora e a Estella solta a minha mão.

— Claro que sim. Você ainda tem dois ou três meses para decidir.

Entro no carro. A mamãe já começa a falar de muitas coisas, mas eu penso só no que Estella acabou de me falar. Não tenho muito tempo, é verdade. Mas mesmo sendo verdade, e pra mim é importante que ela sempre diga a verdade, às vezes eu queria que ela fosse um pouco menos verdadeira.

Mas Estella tem razão, eu não tenho muito tempo.

O papai está em casa, ele voltou para almoçar com a gente, e não é só isso:

— Temos uma surpresa — dizem com sorrisinhos e carícias.

Eu aperto Ótimo Turcaret e coloco na boca dele um pouco de atum, que eu não gosto nem um pouco. O papai não faz mais sorrisinhos e briga comigo. Eu acho que faz muito tempo que ele não lê o seu livro preferido, porque se tivesse lido ontem à noite, por exemplo, ele se lembraria agora que não pode obrigar as crianças a comer aquilo que elas não gostam, senão elas acabam fugindo para as árvores como Cosme, que não queria comer lesmas. Coloco um pedacinho de atum na boca, deixo ele ali e olho fixamente para o papai. O contorno da cabeça dele está esfumaçado, como todas as outras coisas depois que eu olho por uns segundos, e eu imagino uma peruca cheia de cachinhos longos no lugar dos cabelos normais do papai. Sinto vontade de rir, mas depois penso que o papai e o barão pai do Cosme se parecem muito.

Quero fazer logo a lição de casa, assim posso me ocupar do meu plano secreto para fugir para a cerejeira, mas a mamãe me chama no banheiro, prende meu cabelo bem apertado e diz que temos que ir a um lugar.

No fim me levam para ver uma casa nova, menor do que a nossa, no térreo, com um jardim minúsculo e sem escadas (como o papai queria). Eu olho pra fora da janela de um quartinho que acho que querem me dar e vejo o muro de uma outra casa. A cozinha é muito bonita, toda brilhante e com o forno e a lava-louça novos, mas dá pra ouvir os sapatos de quem mora em cima e tem uma placa enorme assim, no portão do prédio, escrito: PROIBIDO ANIMAIS DOMÉSTICOS.

A mamãe e o papai procuraram me perguntar o tempo todo o que eu estava achando da casa, mas eu fiquei quieta. E agora estou pensando muito rápido sobre como fugir logo. O papai se despede de mim do corredor, ele tem que voltar para o trabalho. Eu saio para falar tchau e depois vou para o meu quarto e coloco na maçaneta da porta a plaquinha DO NOT DISTURB com a cara dos Beatles que André me trouxe de sua viagem à Inglaterra. Olho em volta como fiz na sala de aula. Ótimo Turcaret está dormindo na coberta da vovó estendida na cama. Na verdade, não está dormindo, porque quando vou em sua direção, ele ergue a cabeça e ronrona, esperando carinho como sempre. Olhando pra ele, me vem à mente uma figura de um livro que liam para mim quando eu era pequena, em que duas crianças fugiam em uma jangada e tinham como mala uma trouxa amarrada em um bastão. Eu posso usar a coberta da vovó como trouxa.

— Muito bem, Ótimo Turcaret!

Arranco a coberta de baixo do meu gato, quase arrastando o gato para fora da cama, mas ele se agarra com as unhas na colcha e rosna aborrecido. Abro bem a coberta no chão: é bem fina pra poder dar um nó e também é resistente pra colocar objetos dentro. Começo a pegar algumas coisas e colocar no centro da coberta. Por enquanto vou escondê-la embaixo da cama, pois, assim que der, quando tiver terminado de preparar tudo, vou fechá-la com um nó e enfiá-la na mochila da escola. O bastão era uma boa ideia, mas iriam me descobrir na hora: quem é que sai por aí com um bastão no ombro? Em vez disso, eu posso fingir que vou à escola, e no lugar dos livros coloco na mochila as coisas para morar na árvore. É um plano perfeito. Olho no espelho para fazer um ok com o dedão, mas vejo só uma coisa se mexendo, e parece estar muito, muito longe.

Pego o meu caderninho da prateleira de cima da cama e abro na segunda página.

Ver como será o meu rosto quando eu for grande

Os óculos ficam embaçados e eu consigo apenas riscar as palavras antes que na minha frente, ao meu redor e dentro de mim fique tudo nebuloso.

Mas, Cosme, por que não me dá uma mão?

Acho que encontrei um modo de ir viver com você e a vovó na árvore. Mas eu vou precisar de uma coisa, você se lembra? Você chegou ao vilarejo dos espanhóis viajando pelas árvores, mas como eu posso fazer isso? Não tem tantas plantas aqui como em Ombrosa. Eu tenho que pensar em tudo sozinha. Daqui a pouco é o meu aniversário e já imagino a festa que eu poderia fazer se morasse na cerejeira, com todos os balões presos nos galhos, um bolo de marmelada da vovó e música alta, daquelas que parece que tocam o seu rosto e que explodem o seu coração de tão alto o volume.

Você me ajuda a organizá-la, Cosme?

13

Comer azeitonas pretas. Cantar em uma banda

Hoje tem a apresentação de meio do ano no teatro da escola de música e eu vim ver meu primo André e seus alunos de violão.

Eu gosto muito de música, talvez seja porque não enxergo nada. A mamãe queria que eu aprendesse a tocar algum instrumento, mas eu nunca quis, ainda mais quando apareceu a névoa nos meus olhos, porque não consigo ler as notas: para mim são formigas paradas sobre uma linha preta.

Mas de ouvir eu gosto. Quando as luzes do teatro se apagam, fechos os olhos e a melodia dos violões, dos violinos e dos pianos vem ao meu encontro, ao encontro da minha pele, e me faz sentir como se estivesse caminhando bem devagar pela beira do mar, no verão, lá pelas cinco da tarde, e que nada de ruim pode acontecer.

— Aquele menino que veio conversar com você no pátio está ali.

Mamãe está apontando para um lugar no palco. Me endireito na poltrona para conseguir ver um pouco melhor.

— Quem? Onde?

— Aquele com bicicleta de mulher. Está no grupo dos pequenos pianistas.

Felipe? Nos pequenos pianistas? Não pode ser ele. A mamãe deve estar com a névoa como eu neste momento. Aplaudimos e o concerto começa.

Primeiro as crianças do jardim de infância cantam, aquelas que fazem coral. Depois as que fazem violino tocam. Que tormento.

— Lá está ele. Como você disse que ele se chama?

Vejo uma pessoa caminhando no palco, ela para um momento no centro, sobre a grande luz, e depois se senta em frente a um grande piano preto.

— Felipe.

— Ah, sim. Estava escrito na jaqueta.

Então é ele mesmo.

Fica um silêncio no teatro e Felipe começa a tocar. Parece ser uma música difícil, porque é demorada, e eu queria poder ver como as mãos dele se movem enquanto essa belíssima música entra na minha cabeça, me pega pela mão e me convida a correr com ela, como se fosse uma amiga minha. E eu corro, corro sobre um teclado muito longo, que se transforma em uma praia, e cada onda é uma nota, e eu salto por cima e no meio delas, e me transformo em um golfinho, livre. A música movimenta o mar todo, deixa o mar fazer o que quiser. E dentro desse mar de gotas cintilantes eu vejo, vejo meu submarino, aquele que eu queria pilotar quando era pequena, quando me perguntavam o que eu queria ser quando crescesse. Quando abro os olhos, toda a sala se encheu, até o teto, de flores submarinas coloridíssimas navegando; então o som desce como a voz do senhor que lê os livros no meu MP3 *player*, como gotas bem limpas, e no final se transforma em uma lágrima no meu rosto, pequena e azul, que cai e molha a gola do vestido.

Quando Felipe para de tocar, se ouve um grande silêncio. Se ouve mesmo. Depois todos começam a bater palmas tão forte que as poltronas tremem. Felipe não vem se inclinar na borda do palco. Vai embora direto, mesmo com gente pedindo bis. No seu lugar entram os alunos do ensino médio com seus violões e André os organiza no palco. Mas eu tenho na minha cabeça apenas aquela música, e não sei se fico mais surpresa porque foi Felipe quem tocou ou porque existem coisas tão bonitas assim que nos fazem chorar.

Depois do espetáculo, tem o coquetel. A mamãe e o papai fazem um monte de elogios a André e começam a conversar com ele e com Ravina perto da mesa dos lanches.

— Posso ir ver o piano?

O papai logo diz que não, mas mamãe o pega pelo braço:

— Giovanni.

E assim posso me afastar um pouco. Vou à sala do concerto. Está toda vazia e apagada, só o piano está iluminado por um feixe de luz.

— Agora vão levar ele embora — diz alguém sentado nas primeiras poltronas. Eu não tinha visto.

— Eu não tinha visto você.

Felipe se levanta.

— Eu sei. Você se assustou?

Me aproximo.

— Não. O que é que vão levar embora?

— O piano.

Felipe me pega pelo punho e me guia até o palco. Nos sentamos sobre o banquinho do piano.

— A escola não pode comprar um tão grande, então toda vez que fazemos apresentação, um senhor rico nos empresta o dele.

— Você toca muito bem. Não sabia.

— É porque eu não conto pra ninguém. O meu pai me obriga. E eu nem toco tão bem.

Fico em silêncio. Felipe passa os dedos de uma mão pelas teclas pretas e brancas.

— Na verdade ele nem veio me assistir hoje.

— Com certeza não é porque você não toca bem.

— E o que você sabe?

Eu deixei ele bravo. Procuro me desculpar.

— Toca alguma coisa pra mim. Aquela primeira música.

— Não. — Felipe fecha o piano. — Você não ouviu? Eu não gosto de estudar piano. Me obrigam.

— Nem se você tocar o que você quiser?

Ele para e pensa um pouco.

— Eu aprendi uma música moderna sozinho, não como aquela que toquei antes.

— Vamos ouvir.

— Mas não estou seguro. E estou sem a partitura.

— Toca e está bom.

Felipe dá um pequeno suspiro, coloca as mãos nas teclas, mas não começa a tocar imediatamente. Se vira em minha direção. Eu também olho pra ele e quando vou perguntar o que é que foi, ele pega as minhas mãos e me faz apoiá-las no piano, abertas, ao lado daquela pequena prateleira onde colocam as partituras.

— Por quê?

— Fique assim.

E começa a tocar uma música que escuto muito nos CDs do papai. Fala de um submarino amarelo. Que coisa estranha. Mesmo antes de ouvir com os ouvidos, tenho a impressão de que o som entra na minha cabeça pelas mãos, pela superfície do piano, que é como petróleo duro, escorregadio e quente debaixo da minha pele quente. As notas caem dos braços de Felipe, eu o sinto se mexer perto de mim, depois elas se movimentam pela superfície do piano. Fazem cócegas nas palmas das minhas mãos. A música sobe, me abraça os ombros e faz com que eu me mexa e me mexa, e não dá pra errar o ritmo porque está dentro de mim.

Felipe toca de uma maneira muito divertida, e eu não posso deixar de cantar o refrão e balançar um pouco no banquinho, rindo. Ele também sorri, até a última nota. Nós dois tiramos a mão do piano.

Aplaudo somente ele.

— Muito bem!

— Se você quiser, eu ensino.

De repente toda a alegria daquele momento se vai.

— Eu não consigo ler as notas.

— Dá no mesmo. Eu toquei sem partitura.

— Uma outra vez, quem sabe.

— Promete?

Fico corada.

— Só se você continuar estudando as suas músicas modernas.

— Está bem. Negócio fechado. — Apertamos as mãos, mas procuro não apertar muito porque tenho medo de estragar aqueles dedos de pianista.

O coquetel está terminando e os pais colocam o casaco para voltar para casa. A mamãe e o papai estão conversando com uma mulher de cabelos bem escuros.

— Mamãe! — Felipe corre em sua direção e a abraça. Ele é quase da altura dela.

— Estávamos falando justamente de vocês — diz o papai. Odeio quando fazem isso, porque depois nunca contam o que estavam falando.

— Eles podem ir lá pra casa? — Felipe pede para sua mãe. Ela tem um rosto redondo e claro como uma lua e os olhos grandes.

— Claro que podem. Vamos tomar um lanche de novo?

O papai coloca o casaco.

— Podemos pedir uma pizza. Você quer, Mafalda?

— Quero muito! Eu sempre quero pizza.

— Ainda mais com salsicha alemã — acrescenta Felipe.

— Sim, ainda mais com salsicha alemã.

A casa de Felipe fica em cima de uma loja onde se estampam camisetas com frases que as pessoas pedem. A mãe dele trabalha ali, por isso que ele tem a jaqueta com o nome. Lá dá pra estampar o que você quiser, não só camisetas, mas também almofadas, toalhas de mesa, toalhas de rosto. Que maravilha deve ser trabalhar em um lugar assim! Felipe me diz que um dia vamos entrar lá e ele vai ligar as máquinas de estampa só pra mim.

Enquanto estamos no carro, a mãe dele nos conta que pegou a loja junto com o apartamento onde moram agora, mas que as coisas não vão muito bem. Ninguém mais manda estampar camisetas, compram tudo pela internet.

— Quando eu crescer, vou ser um *computadorista*, assim faço um site pra você estampar camisetas on-line — diz Felipe.

Ela faz um carinho na bochecha dele. Estamos os três sentados atrás no carro do papai, com Felipe no meio, nos esmagando contra as janelas.

— Ou compro uma loja de perfumes pra você — continua. — É o seu sonho!

— É verdade, Cristina? — pergunta a mamãe, virando um pouco a cabeça para trás, na nossa direção. — De fato, você está com um perfume excepcional.

É verdade. Tem cheiro de nozes e caramelo. Muito bom.

— É uma criação minha. Depois, em casa, deixo vocês sentirem.

O apartamento é no primeiro andar. Felipe e sua mãe Cristina moram sozinhos ali, sem nem um gato. Mas a mãe de Felipe fala com as plantas, ele me conta em voz baixa, principalmente com os gerânios da varanda.

— São os meus outros filhos — diz ela, toda alegre. Eu achei ela muito simpática, meio doida, talvez.

Acho que a mamãe também acha, porque está rindo muito. Fazia muito tempo que eu não escutava ela rindo assim. Ela ajuda a arrumar a mesa. O papai liga para a pizzaria para pedir e enquanto isso Felipe me mostra o seu quarto. É pequenininho e cheio de *Transformers*. Eu sei porque esmaguei um com o pé assim que entrei. Pego do chão e procuro um lugar para colocar. E então me dou conta de que todas as prateleiras estão cheias.

— Nossa, que bonitos!

— O meu pai que me dá de vez em quando. Eu detesto.

— A gente não pode falar que detesta as coisas que tem.

Felipe se joga na cama chutando os sapatos no chão e liga uma televisãozinha que fica em uma pequena prateleira.

— Mas você me falou que detestava o Natal.

— É verdade. Você se lembra de tudo, né?

— Não muito. Aliás, faz uns meses que não tenho vontade de me lembrar de nada. Vem cá.

Eu também tiro os sapatos e me sento perto dele. Da televisãozinha vem uma música de pianola que conheço bem: é a música que tocou antes, aquela do submarino amarelo.

— Vamos cantar! — ele me diz, e começa a pular na cama. Eu fico com vontade de rir, parece ser uma espécie de *karaokê*, mas mesmo não conseguindo ler as palavras da música na tela, começo a cantar os pedaços que sei de cor e a pular na cama.

— *Ui al liv inaiello sabmarinnn...*

Cantamos cada vez mais alto usando um sapato como microfone, até os meus óculos caem, então a música acaba e nós levantamos voo da borda da cama e nos jogamos no chão. Depois ficamos ali para recuperar o fôlego.

Após um tempo, Felipe se vira para mim e me olha. Seu rosto está perto, mas sem os óculos é como se estivesse longe. Uma nuvem cinza e grossa o cobre quase que inteiro, e tenho vontade de perguntar se ele consegue vê-la nos meus olhos.

— De que cor são meus olhos? — pergunto.

— Castanhos. Por quê?

— Não dá pra ver nada dentro?

Ele fica em silêncio por uns segundos. Acho que está olhando para as minha pupilas.

— Não, nada... só...

É, eu sabia. Dá para ver as manchas da minha névoa.

— ... só uns tons verdes e amarelos. Como um bosque cheio de cogumelos.

Não é um grande elogio, mas eu gosto de bosques. É sempre melhor que a névoa Stargardt.

— Por quê? O que você achou que dava pra ver?

Olho para as minhas meias. Aliás, olho na direção das minhas meias.

— Nada. Às vezes eu acho que os outros conseguem ver a minha névoa.

— A sua névoa? O que é isso?

Felipe está interessado e até sentou de pernas cruzadas na minha frente. Está praticamente me olhando da distância de um centímetro.

— Para com isso. — Eu o empurro para trás e ele começa a rir e logo volta a ficar bem perto. Eu bufo. — Eu explico se você não rir.

— Negócio fechado.

— Dentro dos meus olhos se formam umas manchinhas, que ficam cada vez maiores...

— Muitas?

— Não. Duas: uma em um olho e uma no outro.

— E elas estão sempre aí?

— Antes não. Agora estão bem grandes, e as vejo sempre. Elas me apagam as coisas e ficam mais escuras quando estou cansada.

— Entendi. E não dá pra apagar as manchas?

— Não.

— E a névoa?

— Ela vem junto com as manchinhas e me faz enxergar tudo enevoado, não só onde estão as manchas.

— Mas você não tem medo?

Não digo nada. Então Felipe se levanta do chão e me pergunta se eu já estudei música em algum lugar.

— Não, por quê?

— Você canta bem.

— Ah tá.

— É verdade. Você não erra nenhuma nota. Vem.

Pega alguma coisa do armário. Um violão. Tira da capa e se senta na cama e começa a beliscar as cordas.

— Você sabe tocar violão também?

Ele não responde. Toca uma nota.

— Isso é um dó. Repita.

— Isso é um dó.

— Não! — Felipe começa a rir. — Repita a nota. Com a voz. Cantando. Assim. — Passa os dedos nas cordas e canta: — *Dóóó...*

Eu também canto, mesmo com vergonha.

— Viu? Parabéns! E isso aqui é um ré. *Rééé...*

Eu repito.

— É uma cantora nata. Você tem sorte.

Um grande sorriso desponta em mim. É estranho me sentir com sorte por algo que posso fazer sem os olhos. E sem os óculos.

O papai coloca a cabeça dentro do quarto e nos chama, a pizza chegou. Felipe sai correndo pelo corredor e eu o sigo, tentando alcançá-lo. Nos empurramos e nos puxamos para chegar antes na cozinha.

À mesa, a mamãe arruma minhas marias-chiquinhas nos ombros.

— Onde estão os óculos, Mafalda?

Estou prestes a falar que caíram e que eu nem os procurei, aliás, que até me esqueci deles, mas Felipe responde no meu lugar:

—A gente estava cantando. Não precisava de óculos.

Papai coloca uma fatia de pizza de salsicha alemã no meu prato.

— Mas depois vamos procurá-los, hein? Não esqueçam!

Ninguém parece estar bravo. Eu, para fazer bonito com a mãe de Felipe, estendo o guardanapo de papel nos joelhos e começo a cortar a minha pizza.

— Quer uma azeitona preta? — pergunta Felipe.
— Eu não gosto. Uma veio parar aqui por engano.

Eu não preciso nem me preocupar em como vou espetá-la sem os óculos, pois Felipe a coloca diretamente na minha boca. Não é muito educado, mas resolve muitos problemas, esse Felipe. Me vem à mente aquele trechinho do *Barão nas árvores*, em que Cosme está na árvore com a menina espanhola e parece tudo fácil e bonito, não como com aquela outra menina, Viola, que fazia ele ficar louco. Talvez seja essa a diferença entre amizade e amor. A amizade é fácil, e o amor, ao contrário, causa muita confusão na cabeça, um pouco como a névoa Stargardt nos olhos.

Depois da pizza, as mães colocam o casaco e descem até a doceria Emanuela's para comprar doces. O papai fica para cuidar da gente. Na verdade, não cuida da gente, ele se senta no sofá, que fica na cozinha, e assiste a um programa de dar risada na TV.

Um pouco depois, Felipe quer ir à varanda para me mostrar os gerânios secos com os quais sua mãe fala, mas o papai nos impede:

— Primeiro o casaco!

Eu coloco o meu casaco e Felipe enfia a mesma jaqueta azul com o nome nas costas.

Mas o papai o impede novamente.

— Coloque um casaco mais pesado. Está frio lá fora.

Felipe não diz nada. É a minha vez de responder no lugar dele.

— Papai, sabe que faz pouco tempo que foi o aniversário do Felipe?

— Ah, é? Parabéns atrasado.

— Sim. E eu não dei nada pra ele porque ele não fez festa.

Felipe me dá um leve chute nas pernas. Quer dizer "que diabos você está inventando?".

— Sabe aquele casaco que você tem de reserva no porta-malas para quando mandam você fazer entrega nas montanhas? Aquele que você não gosta mais.

Vamos, papai. Leia o meu pensamento. Entendeu aonde quero chegar?

— Aquele verde e roxo?

— Sim, aquele mesmo. Talvez fique bem no Felipe.

O papai fica em silêncio por um instante. Depois exclama:

— Mas claro, é um ótimo presente de aniversário! Não é que eu não goste de você, sabe, Felipe, é só porque não o uso quase nunca e queria dar já faz um tempo. — O papai pega a chave do carro e abre a porta do apartamento. — Estava pensando em dar de presente ao meu sobrinho, mas você chegou primeiro... Vou descer para pegá-lo. — E fecha a porta.

Talvez Felipe não tenha gostado do que fiz. Me aperta forte o pulso e me arrasta para um cômodo onde acredito que seja o banheiro. É muito branco e tem cheiro de limão. Escuto-o remexendo em algum lugar, depois me coloca um vidrinho nas mãos.

— O que é?

— Sente o cheiro.

Coloco o vidrinho debaixo do nariz. Tem cheiro daquelas florezinhas azuis... "olhos de Maria", como vovó as chamava. Tem muitas delas no jardim do condomínio durante a primavera. Os meus olhos ardem, tenho que bater os cílios algumas vezes, e tenho quase certeza de que a culpa é do perfume.

— Gostoso. Sua mãe que fez?

— Sim, vou dar de presente pra você. Em troca do casaco.

Fico ainda parada respirando aquele cheiro gostoso. Os olhos se acostumaram.

— Sua mãe não vai ficar brava?

— E quem se importa? Ela faz mil diferentes todo mês. Nem vai perceber.

— Ok, obrigada. Olha... — Eu tenho que perguntar pra ele: — Você quer ser meu amigo, né?

— É — diz ele, fechando a gaveta dos perfumes.

— Por que você quer que a gente seja amigo?

Felipe faz um movimento brusco e espirra o perfume que tenho nas mãos. Depois vai pro quarto, gritando:

— Porque assim, quando formos grandes, fazemos uma banda! Eu toco e você canta.

Eu vou atrás dele rindo e acho que é uma boa ideia.

Estou na cama com Ótimo Turcaret nos pés. Hoje ele não me deixou fazer carinho porque está sentindo o meu perfume novo, que não saiu nem com o banho. Eu peguei o telefone do papai emprestado para procurar na internet como se faz para virar cantora. A voz do telefone diz que tem ao menos quinze passos para seguir, mas eu não entendi para onde. Que raiva. Mas como eu vou poder ficar andando tanto? Ontem à noite eu escutei um trecho de O *barão nas árvores*, aquele do macaco que saiu de Roma e chegou à Espanha, viajando pelas árvores. Mas eu tenho certeza que agora todas aquelas árvores foram cortadas.

O telefone também diz que precisa ter algo de especial, que nenhuma outra pessoa tem. A ideia da banda de Felipe agora não me parece tão boa. Eu, as únicas coisas que tenho de especial são um gato cinza e marrom (porque não acho que existam outros assim por aí) e a névoa nos olhos. Sou especial ao contrário. Fecho e abro os olhos e jogo o meu caderninho no chão. Folheio ele de joelhos, quase rasgando as folhas, e escrevo com pressa, apertando a folha com força.

Comer azeitonas pretas porque não vou conseguir ver se são pretas mesmo
Cantar em uma banda

Subo na cama e me cubro até a cabeça. O escuro não é um quarto sem portas nem janelas. O escuro é um monstro que devora todas as azeitonas pretas e os sonhos.

Cosme, está nevando e me veio à mente que eu poderia morrer de frio em cima da cerejeira da escola durante o inverno.
Depois me lembrei que você conseguiu e que, em vez de morrer, se agarrou a um balão que passava e depois se deixou cair no mar, assim você nunca, nunca mais tocou o chão. Mas eu não posso caçar animais peludos para fazer cobertas como você fazia, então tenho que pensar no que fazer caso eu sinta que vou morrer de frio. Me ajuda a ter uma ideia?
Obs.: agradeça à vovó pela coberta. Vou levá--la para a árvore.

14

Fazer sinal de boa-noite com a lanterna. Contar todas as estrelas

O meu professor de apoio se chama Fernando, é jovem e muito chato.

Está sempre olhando uns livrinhos escritos em chinês que se leem ao contrário e mandando mensagens pelo telefone. Ele deveria ver se eu escrevo certo no caderno, se não me perco pela escola e se faço os exercícios dos pontinhos do braile, mas por sorte ele não se prende muito a essas coisas e praticamente me deixa de lado o tempo todo. Só quando passa uma outra professora é que ele começa a funcionar como um robô e a fingir que está me ajudando a escrever.

Ele também vai para a excursão, mas vai estar ocupado demais atrás do Oscar, o menino de cadeira de rodas do quinto ano, para se lembrar de mim. Às vezes parece que ninguém sabe da minha névoa Stargardt, mesmo eu sabendo que todos sabem. Talvez eles esqueçam, porque não dá para ver a névoa. Os meus olhos são normais olhando de fora. É um pouco como os loucos: um louco parece normal olhando de fora, mas depois começa a gritar e então todos se lembram e dizem: "Cuidado, ele é louco". A professora de educação física uma vez me disse: "Tadinha, não enxerga", e eu tive vontade de começar a gritar, assim ela poderia pensar que sou louca e ia parar de mexer no meu cabelo.

A mamãe e o papai buzinam na janela do ônibus de viagem onde estou sentada (primeira fileira, perto do professor Fernando) e me dão tchau com a mão como se eu estivesse partindo para uma longa viagem. Eu dou tchau mas já me viro para o outro lado, os pais dos outros não estão grudados no ônibus, e todos os meus colegas já pegaram seus *tablets,* fones de ouvido e celulares e não estão preocupados em se despedir. Só Felipe, com o casaco que meu pai deu, não consegue ficar quieto. Está sentado no fundo e continua zoando com seus colegas, que gritam:

— Para de puxar meu capuz! Eu quero dormir!

Mas é impossível porque, assim que saímos, a professora pega o microfone do ônibus e começa a explicar o programa dos próximos dois dias. Para dormir, ficaremos separados meninos e meninas em dois chalés, e amanhã vamos visitar a fazenda orgânica e à tarde vamos para a neve. Quem sabe esquiar vai com Fernando e com a professora que uma vez me disse "tadinha", os outros podem ir de trenó. Eu sabia esquiar no jardim de infância, meu primo André me ensinou, mas depois a mamãe e o papai ficaram com muito medo de me deixar esquiar na pista porque eu não via muito bem as colinas e caía. Então isso quer dizer que vou andar de trenó, mesmo sem eu ter tentado andar desde que coloquei os óculos novos.

Passou uma hora e meia desde que saímos.

Está uma grande bagunça no ônibus. Felipe e seus amigos cantam umas músicas sujas e nem escutam as professoras que tentam fazê-los parar. Me dá um pouco de vontade de rir, eu nunca ouvi músicas assim e também nunca ouvi um menino cantar tão bem, mas não sei se devo falar isso para ele ou não. Estamos num trecho de curvas e escuto que Bola está passando mal. Ele sempre fica mal em viagens porque come muito. Nesta uma hora e meia de viagem, ouvi ele desembrulhar ao menos três brioches e já abriu duas latinhas de Fanta. Eu ouvi o *tsss*. Como está sentado atrás de nós, aviso o professor Fernando, que vira para olhá-lo e pede imediatamente para o motorista parar.

Sinto uma bolinha de papel acertar minha cabeça e me viro num disparo: Felipe está se aproximando no corredor do ônibus rindo do pobre do Bola.

Olho brava para ele.

— Você não sabe que é feio tirar o sarro de quem está mal?

— Mas ele comeu que nem um porco!

— E daí? Agora está mal, não tem que rir. Você ia gostar se fizessem isso com você?

Felipe se senta no lugar de Fernando, que desceu do ônibus e está na estrada com Bola. Depois se ajoelha na poltrona e pede para todos ficarem quietos:

— Agora chega de rir. O próximo que eu escutar zoando vai se ver comigo quando descer do ônibus.

Ninguém fala mais nada. Só uma das professoras fala para ele voltar e sentar no seu lugar.

Felipe se inclina para mim e me diz depressa, com a voz baixa:

— Hoje à noite, quando forem escolher as camas, escolhe uma perto da janela.

— Por quê?

— Faz isso. Você consegue ficar acordada até meia-noite?

— Claro que consigo.

— Então fica olhando pra fora. Vou mandar um boa-noite do nosso chalé.

— E como vai fazer isso?

— Você vai ver.

— Mas eu...

— Você vai ver que vai conseguir ver. Não conta pra ninguém.

E vai para o fundo do ônibus assim que Fernando volta e se senta perto de mim.

Chegamos há duas horas, nos deram picadinho com polenta e agora temos que arrumar nossas coisas para a noite.

É uma sorte ter que ficar acordada até a meia-noite, porque assim consigo estudar as bagagens das meninas e onde elas estão. Talvez eu consiga pegar alguma coisa já hoje à noite. Peguei a cama de debaixo da janela, entra um pouco de ar gelado mas tanto faz. Daqui consigo olhar para fora e tenho sob controle as camas e as malas das meninas. Clara está enchendo seu colchão de casal para dormir com Martina, as professoras deixaram. As minhas colegas estão todas ali ao redor, elogiando e falando como o colchão é grande, e eu sei que elas queriam dormir ali, ou ao menos experimentá-lo. Se ainda fôssemos melhores amigas, Clara teria me escolhido. Mas não é essencial: se eu entendi bem, uma coisa é essencial só se faz você viver, e eu posso viver mesmo fora do colchão de casal de Clara.

Claro, não é essencial, mas me deixaria bem confortável lá em cima da cerejeira. Mas hoje à noite não poderei pegá-lo, elas vão dormir nele! Vou ter que esperar amanhã, quando vamos arrumar tudo para ir embora e vamos descer para tomar café da manhã. Posso fingir que estou passando mal e voltar ao dormitório. Se o professor Fernando não me seguir, vou estar pronta para pegar o colchão. Para escondê-lo, deixei livre um compartimento da minha mala, aquele que se fecha com zíper e fica esmagado embaixo das roupas. E eu já pensei em como arrumar a minha cama nova na árvore: fácil, vou encher o colchão direto lá em cima e vou apoiá-lo em dois galhos. Vai ficar muito confortável.

Agora temos que colocar o pijama. As professoras ficam aqui até a gente terminar de se arrumar, depois apagam as luzes e avisam que vão voltar em uma hora, porque precisam resolver umas coisas com os documentos para as visitas de amanhã. As minhas colegas e as meninas do quinto ano esperam uns minutos até não ouvirem mais os passos das professoras, e, apesar de eu ainda os ouvir na escada que leva ao andar de baixo, todas elas se levantam e começam a conversar. Uma das maiores se levanta e acende uma luz.

Eu também me levanto. Clara e Martina ficaram de bruços e começam a ouvir as músicas da *Frozen* em um MP3 *player*, um lado do fone pra cada uma. Eu sei porque mexem a cabeça no ritmo, juntas, e cantam desafinadas em voz baixa. De um beliche a mão da minha amiga siciliana Francesca se estende para mim com um pacotinho de ursinhos de goma aberto. Pego alguns e enfio tudo na boca.

— *Ofrigafa*!

Também fico com vontade de ouvir um pouco de música. Procuro na mala que está embaixo da cama, mas não consigo pegar o MP3 *player* a tempo porque a menina que acendeu a luz chega na ponta dos pés, para não ser descoberta pelas professoras que estão embaixo, e se senta na minha cama.

— Oi, você é a Mafalda?

Eu me encolho perto do travesseiro e abraço os joelhos.

— Sim, por quê?

— Nada.

É alta, tem o cabelo castanho e um pouco avermelhado todo emaranhado e um pijama que não é um pijama, mas uma camiseta com algo escrito e uma calça toda azul. Duas amigas suas a seguem e se sentam uma do lado dela e a outra no chão. Me olham sorrindo:

— É ela que é a famosa Mafalda?

— Sim — responde a outra toda contente.

— Uau, então é você!

Eu não entendo.

— Por que famosa?

As meninas do quinto ano se olham, sempre sorrindo.

— Na verdade, não podemos falar.

— Mas não estamos aguentando!

— Quem vai falar?

— Eu falo!

— Não, eu!

— Eu acho que a Emília deveria falar, ela é a ex — diz a que está sentada no chão.

Eu pergunto quem é Emília.

A menina que chegou primeiro me aperta a mão e aponta para sua camiseta:

— Sou eu, prazer, Emília, a ex do Felipe.

De repente sinto uma grande confusão na cabeça e acho que fico vermelha. Os meus óculos ficam embaçados, então demoro um pouco para conseguir ler bem o que está escrito na camiseta: Emília. Parece ter sido feita da mesma forma que a escrita na jaqueta azul de Felipe.

As meninas riem. Por sorte as minhas colegas nesse meio-tempo estão ocupadas com suas coisas.

— Eu sou a Mafalda. — É tudo o que consigo dizer. Mas isso elas já sabem.

De fato:

— Nós sabemos! — diz rindo a outra menina sentada na cama. Acho que mora perto da minha casa. Ela se chama Júlia. Não é má. Só não entendo o que querem de mim.

— Nós sabemos, nós sabemos — diz Emília —, o diário do Felipe está cheio do seu nome escrito: *Mafalda isso, Mafalda aquilo...* Tem até um coração no seu aniversário.

— Não é verdade.

— É, sim. O seu aniversário não é primeiro de fevereiro?

Caramba. Então é verdade. Um coração? Mas...

— Fica tranquila. Não sou ciumenta. — Emília me dá um tapinha nos ombros. — Nós terminamos em outubro, aliás, eu terminei com ele. O pai dele ia e voltava de casa, e ele não lidava bem. Se comportava que nem um louco, então eu larguei dele.

— Ah.

— Mas você gosta dele?

As três meninas chegam bem perto de mim e eu fico com vontade de pular pela janela de tanta vergonha.

— De quem? Do Felipe? Não, não mesmo!

As outras duas começam a pular e a bater palmas:

— Eu acho que você gosta!

Emília pega a minha mão.

— Mafalda, mas você não viu o que ele faz? É um delinquente, grita, e acho que este ano vai até ser reprovado.

Eu olho para as minhas meias.

— Eu não enxergo bem. Que ele é meio louco eu só ouvi dizer.

— Meio louco? Aquele lá desde que os pais se divorciaram está completamente fora de si. Você vai ter que ter cuidado se forem ficar juntos.

Então é verdade que os pais dele se divorciaram. O meu terceiro olho funcionou dessa vez também.

— Mas eu não quero ficar junto. O que isso quer dizer?

— Vocês se beijarem — diz Júlia.

— E que quando forem grandes vão se casar e ter filhos — continua a outra.

Francesca, que está ouvindo tudo do beliche, aparece de cima e pergunta:

— Quê? Vocês sabem como nascem os filhos?

Outras colegas interessadas levantam a cabeça dos celulares e *tablets* para ouvir. Emília responde a todas:

— Eu sei. Você tem que ficar com dor de barriga, e pode acontecer na nossa idade também. Depois você vomita, a criança cresce na dor de barriga e depois de nove meses ela sai.

— De onde? — pergunta Clara.

— Do umbigo. Os médicos furam ele e tiram a criança. Por que você acha que temos o umbigo se não for pra isso?

Todas gritam em sinal de que não gostaram.

— Mas como faz pra criança entrar na barriga? — pergunta Martina, agitada.

Emília responde com calma:

— Precisa do papai e ele deve estar muito, muito perto da mamãe.

Uma do quinto ano, do fundo do quarto, pula:

— Não é nada disso! Eu tenho uma tia que está para ter um filho e fez tudo sozinha.

Mas nessa hora entra uma professora, eles ouviram nossos gritos, e manda a gente dormir imediatamente. Já chega de conversar por esta noite.

Vamos para a cama novamente. A professora por segurança vai dormir ali também e vai se trocar no banheiro com sua *nécessaire*. As luzes se apagam. Antes de tirar os óculos, afasto a cortina da janela e olho para fora. O céu aqui é muito bonito, todo preto e azul-escuro, e está cheio de pontinhos brancos. Fazia muito tempo que eu não conseguia mais ver as estrelas. Acho que aqui eu consigo porque estamos mais altos que na minha casa. Então da cerejeira, que é mais alta que a escola, vou conseguir vê-las novamente. Assim espero. Caso contrário, essa será a última vez que vou ver as estrelas.

Que canseira ficar com os olhos abertos até meia-noite.

Na verdade eu acho que fechei os olhos, mas só por um momento. Tenho um relógio que acende no escuro, era da minha avó e deram pra mim quando ela foi viver no tronco. Aproximo ele do meu rosto e aperto o botão da luzinha pra ver que horas são: quinze para a meia-noite. Até as outras professoras já voltaram para o quarto e estão dormindo entre nós, uma está deitada em um colchãozinho perto da porta e ronca com o nariz. Dá vontade de rir. As minhas colegas e as do quinto ano estão paradinhas em suas camas. Tudo é muito azul-escuro e, mesmo estando em um quarto cheio de pessoas, me sinto a única menina no mundo. Afasto a cortina da janela. Quando chegamos, estava nevando. Agora não está mais. O prado ao redor dos chalés e as colinas em volta são azuis-claros (de noite, a neve é assim), e a lua é um lampião bem grande que ilumina todas as coisas, mesmo que aqui não tenha quase nada para iluminar. Só o outro pequeno chalé onde os meninos estão dormindo. E uma luz na janela. Uma luz que vai e vem. Como um sinal. Como os sinais de boa-noite que eu fazia com a vovó antes de dormir.

Rapidamente me sento na cama e aperto forte os óculos contra o nariz. A luz continua apagando e acendendo mais um pouco, depois não a vejo mais. Tenho que responder. Quando alguém fala "boa noite", você tem que responder "pra você também", senão é falta de educação. Mas eu não tenho nada para responder, uma lanterna, alguma coisa que se ilumine... Ah, o relógio da vovó! Tiro ele do pulso e apoio sobre o vidro da janela e aperto o botão várias vezes. Espero que dê pra ver do quarto dos meninos. A luz de antes acende de novo, enlouquecida. Então dá para ver! Continuamos fazendo sinais um para o outro, mas depois a professora que estava roncando resmunga dormindo e se revira no colchãozinho e eu me assusto. Faço um último sinal de luz bem longo, que quer dizer "agora temos que dormir", e espero a resposta, que chega imediatamente, também bem longa. Me deito de novo na cama com muitas estrelinhas nos olhos. E somando tudo estou contente. O porquê não tenho certeza se sei, mas não me sinto mais a única menina do mundo.

De manhã, no café, Felipe me dá um tchau da sua mesa e depois logo volta a esguichar café com leite com seus colegas.

— Eu disse que ele gosta de você — disse Emília passando por trás de mim.

— A gente só se cumprimentou e ele nem me olhou direito.

— Os homens sempre fazem assim. É um sinal. Você tem que se acostumar com os sinais.

A visita à fazenda orgânica está tão chata que nem Felipe consegue achar alguma coisa pra zoar e se distrair, ou um motivo para atrapalhar. A única coisa boa é que nos fazem provar manteiga de vaca de verdade, e comemos pãezinhos com marmelada até explodir. Sorte que depois vamos para a pista de esqui. Um grupo grande vai com o professor Fernando, vão também Emília, com seu macacão vermelho, e Clara, que antes de pegar o esqui mostra para todo mundo os seus óculos da Frozen, até pra mim.

Eu vou pro alto das colinas dos trenós. Me sento no chão para escrever na neve, não posso descer tão rápido como os outros porque tenho muito medo de bater em uma árvore. Nos deram trenós em formato de carro e ninguém quer dividir comigo, aliás nem sei se estou com vontade. Me parece muito estranho andar de trenó sem conseguir ver quase nada.

Uma professora se aproxima e me pergunta se quero descer com ela. Eu respondo que prefiro ficar um pouco sentada, e ela volta a conversar com as outras professoras, enquanto os meus colegas vão para baixo e para cima da colina gritando como loucos. Estou pensando em qual pode ser o momento certo para inventar que estou passando mal e voltar aos chalés para pegar as coisas que preciso. Mas uma bola de neve me atinge nos ombros e eu olho ao redor para ver quem foi. Um louco que grita mais alto que todos corre ao meu encontro arrastando atrás um trenó vermelho-fogo. Está com um casaco masculino e os óculos bem finos cobertos de neve. Está com um sorriso tão grande que quase não cabe no rosto.

Deita perto de mim e já me pergunta por que não desço.

— Não estou com vontade.

— Não é verdade. É porque você não enxerga bem e está com medo.

Enfio um punhado de neve pela gola da jaqueta corta-vento, apesar de ele ter dito a verdade. Ele grita, ri e rola no chão. Eu também tenho que rir. Depois Felipe para e dá um apertão no pompom rosa e cinza na ponta do meu gorro. Três dos nossos colegas sobem novamente a colina e se colocam em uma linha imaginária para apostar corrida. A professora, de um lado da pista, faz um gesto e eles partem, triturando os pedaços de neve congelada.

— Desce comigo? Depois trago você de volta.

Eu não tenho certeza, é melhor não arriscar.

— Não. Você vai muito rápido que eu sei.

Felipe se levanta e coloca o trenó no topo da colina. Se vira para mim com as mãos na cintura. Parece que foi assim que o vi pela primeira vez.

— Mas eu prometi fazer uma coisa difícil.

O piano. As músicas modernas.

— Sim, é verdade. E daí?

— Agora é a sua vez. Tem que fazer uma coisa difícil. Por que só eu?

Eu queria fingir que estava passando mal, mas agora estou com dor de barriga de verdade. Tento resistir.

— E quem decidiu isso?

— Eu!

Felipe arranca o gorro da minha cabeça puxando pelo pompom e sobe na parte da frente do trenó. Me aproximo conformada. Outros dois colegas estão chegando com seus trenós.

— Querem apostar corrida? — Felipe pergunta.

Eles aceitam na hora, e se colocam à nossa esquerda.

— Vai, sobe, caramba. Está esperando o quê?

Entro no carrinho atrás de Felipe e tenho tempo só de pegar de volta meu gorro quando ele voa porque saímos muito rápido colina abaixo. Me agarro forte nas costas dele e grito no ouvido dele que estamos indo muito rápido. Ele vira só a cabeça na minha direção:

— É uma corrida, você quer ir como, devagar?

— Sim, mas assim não vejo nada!

— Nem eu! — Felipe se vira para trás para eu ver seus óculos cobertos de neve. Me dá um medo maluco.

— Nós vamos bater!

— Talvez! — E ele ri, ri como alguém que não tem os pais divorciados e está apenas se divertindo na neve. — Fecha os olhos. É muito legal! Se a gente derrapar, eu freio!

A descida é muito longa. Ao nosso redor há apenas um borrão de neve e o bosque que corre verde e marrom do lado da pista. Estamos ganhando a corrida, porque não escuto mais o trenó dos nossos colegas. Então eu fecho os olhos. E sinto no rosto o vento frio da descida, e meus cabelos voam ao vento e meu coração bate muito forte. Mas é o meu ou o de Felipe? Sinto seu coração das suas costas. Não importa. Escorregar assim, com os gritos dos outros bem longe e só o barulho do trenó embaixo de mim, é muito bom. E estranho. É como caminhar com o cachecol nos olhos, mas mais emocionante. Estou com um medo tremendo. Mas também queria que essa descida durasse uma hora inteira, aliás, um dia, não, para sempre! Como a música de Felipe.

Agora dá para ouvir mais forte os gritos dos outros que estão torcendo na chegada, e a descida não é mais descida e nos arrebentamos entre aplausos em um monte de neve fresca. Enquanto pequenos flocos caem sobre nós, rimos, rimos até perder o fôlego, depois nos levantamos e fazemos uma ciranda pulando e gritando "Ganhamos!".

Quando chegam os nossos adversários, sinto um movimento estranho na barriga e eu acho que vou vomitar.

— O que você tem, está passando mal? — me pergunta Felipe.

Não respondo. Me aproximo de uma moita e faço como Bola fez ontem.

O professor Fernando, visto que é o professor de apoio, me acompanha até o chalé onde dormimos.

A senhora do hotel faz um chá quente para consertar a minha barriga, diz; depois subimos e Fernando me deixa entrar sozinha no banheiro.

— Espero você lá embaixo na entrada — diz tirando do bolso do casaco um dos seus livrinhos chineses.

É o momento. Entro no quarto. Todas as camas estão arrumadas e do lado de cada uma está a mochila de quem dormiu ali. Em um canto vejo uma espécie de bola vermelha e azul: é o colchão de Clara. Pego-o com as mãos, que tremem um pouco, e o coloco na minha mala, procurando escondê-lo bem. Aqui dentro não devo pegar mais nada. Por um momento penso que seria legal um *tablet* quando estiver na árvore, mas depois eu lembro que vou estar no escuro e, além do mais, é uma coisa cara demais para roubar. Não consigo fazer isso.

Vou lá para baixo com a mala a tiracolo, já que não vai demorar muito para irmos embora. O professor está sentado em uma poltroninha vermelha, todo concentrado em seu livro. Tenho que encontrar um jeito de entrar no dormitório dos meninos. A senhora do chá me para enquanto passo em frente à varanda.

— Como você está?

— Mais ou menos. — E não é mentira.

— Já que você passou mal, vou lhe dar uma coisa de presente.

Se apoia na varanda e coloca entre as minhas mãos uma flor cinza muito estranha.

— O que é isso?

— Uma estrela alpina.

Toco a flor com delicadeza porque parece que pode se desfazer em cinzas a qualquer momento.

— É peluda!

— Sim. Você nunca tinha visto uma?

— Não. Obrigada. É muito bonita.

Fernando se aproxima para ver a estrela alpina também.

— Interessante. — É a sua opinião.

Então eu tenho uma ideia.

— Fernando, me ajuda a fazer uma coisa?

Ele me acompanha até a porta do chalé.

— Hum, vamos ver.

Puxo ele pelo casaco e aponto para o chalé dos meninos.

— Eu queria tanto fazer uma surpresa pra alguém da outra classe.

— Para um menino?

— Sim, para alguém que eu gosto.

— Ah.

— Me leva no dormitório dos meninos pra eu colocar a estrela alpina embaixo do travesseiro dele?

Fernando bufa:

— Vamos logo, então.

O dormitório dos meninos tem um cheiro terrível.

Fernando ficou de guarda no corredor, então preciso me apressar. Procuro a marmita rosa de Bola e já coloco na minha bolsa.

Fernando coloca a cabeça dentro do dormitório.

— Já?

Que sorte. Ainda bem que já tinha guardado a marmita. Me aproximo de uma cama que está bem debaixo da janela, aquela de onde dá para ver o chalé das meninas. Em cima tem uma lanterna. Coloco a estrela alpina debaixo do travesseio e saio.

— Desculpa, Fernando, não estava encontrando a cama certa.

— Não tem problema. Nessas coisas, é melhor não errar a pessoa. Vamos esperar o ônibus.

A mamãe está esvaziando a minha mala da viagem, vejo um pouco de luz bem fraquinha vindo do banheiro.

Estou na minha cama e estou tranquila porque já tirei a marmita rosa e o colchão e os escondi no armário atrás das roupas. Me disseram que posso ficar com a luz acesa ainda por dez minutos. Mas não tenho muito o que fazer. Pego o meu caderninho e a caneta preta da prateleira e risco da lista *Contar todas as estrelas*.

Eu sei, Cosme. Peguei coisas dos meus colegas sem pedir, e não devia. Mas você também ajudava os bandidos, lembra? Você sabia que eles não eram maus, só que naquele momento ali precisavam se comportar um pouco mal pra levar o que comer para casa. Não conte à vovó, por favor.

Eu prometo que, quando for grande na árvore e tiver aprendido a construir coisas como você fazia, vou devolver tudo. Vai demorar um tempo, mas um dia vou devolver.

15

Amar alguém

Vou ter um filho. Tenho certeza.

Desde que voltamos da excursão da montanha, as coisas que Emília, aquela menina grande de cabelos vermelhos, falou não saíram da minha cabeça, que para ter um filho, você tem que ficar com dor de barriga e vômito. Penso sempre nisso. Enquanto faço carinho em Ótimo Turcaret atrás das orelhas, antes ou depois da lição e mesmo agora que estou indo à escola.

Você tem que ficar com dor de barriga e depois vomitar. Aconteceu comigo na pista dos trenós. Eu não entendi se precisa ou não de um homem, mas de qualquer forma eu abracei forte Felipe durante a corrida. Eu acho que aconteceu. O que vou falar para mamãe? E Ótimo Turcaret ainda vai gostar de mim? Vou ter que sair da escola, e como vou fazer para cuidar da criança no escuro? Quando eu era pequena, imaginava que ia ter seis filhos, cinco meninas e um menino, mas depois veio a névoa nos meus olhos e eu parei de pensar nisso. Vou perder meus filhos na névoa, ou vou penteá-los mal, e vou morrer de fome porque não posso dirigir para ir fazer compras. Talvez eu possa pedir pizza para a janta. Mas aí eles ficariam gordos. Não, nada de filhos para mim. Só Ótimo Turcaret. Ele arruma comida e também se lava e se penteia, tudo sozinho.

Mas e agora, como faço? Preciso contar a alguém. Estella. É a única que pode me ajudar. Assim que toca o sinal do intervalo, vou encontrá-la. Enquanto isso, para me distrair, conto os passos de onde consigo ver a minha cerejeira, toda marrom e bem magra, até o tronco. Um, dois, três...

Oitenta passos, talvez setenta e oito. Quarenta metros, talvez trinta e nove.

Mais dez passos e escuto o assobio de Estella. Se ficar surda também, terei sérios problemas.

Bato duas ou três vezes na porta da salinha. É hora do intervalo e a escola toda corre pelos corredores com os lanchinhos desembrulhados até a metade nas mãos. Três meninos da sala de Felipe brincam de fazer cesta no lixinho, com papel-alumínio como bola. Eu também queria brincar, mas tenho coisas mais importantes na cabeça. Estella abre e me enfio na sala deixando para trás um pouco da confusão, mas não toda.

Estella me joga um pacote de batatinhas.

— Não quer comer?

Ela se senta na cadeira com rodinhas como se caísse em cima dela. Apoia a cabeça em uma mão e o cotovelo na mesa. Parece cansada. O seu rosto tem a cor dos limões quando estão a ponto de mofar, o que na verdade é uma cor muito bonita, mas é feio dizer isso a alguém.

Estella me faz sinal que não quer comer batatinhas e traz um banquinho perto da sua cadeira. Eu gosto de ficar aqui porque aqui tudo é muito perto para quem está dentro e dá para ver bem. Me sento no banquinho. É o momento de dizer que vou ser mãe.

Faço um pouco de barulho com o saquinho de plástico que tenho nas mãos e sem olhar em volta inicio a conversa.

— Estella, você tem filho?

Ela levanta a cabeça e se vira para mim girando a cadeira. Parece muito cansada.

— Não. Nunca tive filhos.
— Por quê?
— E por que você é tão curiosa?

Encho a boca de batatinhas de tanta vergonha.

— Ah, porque me interesso por filhos.

Estella arregala tanto os olhos que até eu consigo ver todo o branco em volta da sua pupila.

— Você se interessa por filhos? Ora essa. Não é que você está apaixonada, Mafalda?

Eu a olho através dos óculos sem saber o que dizer e sinto que estou vermelha da ponta dos cabelos até as meias. Como ela adivinhou? Até agora, nem eu tinha descoberto.

Estella ri, mas não para caçoar de mim, isso eu entendo. O meu terceiro olho diz que é um risada boa, por uma coisa boa. Algo de sorte.

— Mafalda, finalmente uma boa notícia! Fico muito feliz. Agora posso morrer tranquila.

— Por que uma boa notícia? E como você sabe?

Ela se posiciona bem na minha frente com a cadeira e pega nos meus ombros. Está com o nariz bem magro, como um galhinho da cerejeira, e o batom cor-de-rosa um pouco desbotado.

— Eu sei e pronto. Já era hora de isso acontecer com você. O amor é sempre uma boa notícia, Mafalda, não se esqueça disso. Todos se apaixonam. As crianças...

Da janela dá para escutar a voz de Bola pedindo um pedaço de lanche para alguém.

— Os meninos gordos também? — pergunto.

— Claro, os meninos gordos também. Os velhos se apaixonam, as pessoas que moram longe, os maus...

— Os maus também? Tipo o Drácula?

— Sim. Até ele tinha esposa. É estranho, mas é verdade. E é uma coisa boa, sabe? Porque nisso somos todos iguais. Com o amor, os pobres ficam ricos e os ricos ficam mais felizes.

— Porque é uma coisa essencial?

— Sim, para muitas pessoas.

— E pra você?

Solta os meus ombros e suspira.

— Era. Na Romênia eu tinha um marido. Mas fazia muito tempo que não dizíamos que nos amávamos.

— É por isso que vocês não tiveram filhos?

— Acho que sim. Quando você não diz para a outra pessoa que você a ama, e ela também não diz a você, é melhor que os filhos não venham.

Acho que entendi. A regra é que se não digo a Felipe que estou apaixonada por ele, não vou ter um filho. Ok. Tenho só que ficar quieta. É sempre muito útil falar com Estella. Ela sabe como são as coisas e me diz sempre a verdade sobre tudo. Agora aperta um botão vermelho perto da porta da salinha e o sinal começa a tocar pela escola inteira. Saio no corredor e quase vou correndo para a classe. É que quando está apaixonado, não é que a gente vê melhor, mas tem menos medo de esbarrar nas coisas.

Acabei de chegar da escola.

Coloco a mochila no chão perto da porta e corro para o meu quarto, ou pelo menos tento chegar o mais rápido que consigo sem esbarrar em nada.

Pego o meu caderninho e abro na segunda página. Se eu entendi bem, para ter um filho preciso dizer ao pai da criança que o amo. Mas eu não posso ter filhos, porque no escuro não é possível dar mamadeira e trocar fralda e todas as coisas que um bebê precisa. Então, basta eu nunca dizer para alguém que o amo. Pego a caneta preta e risco *Amar alguém*.

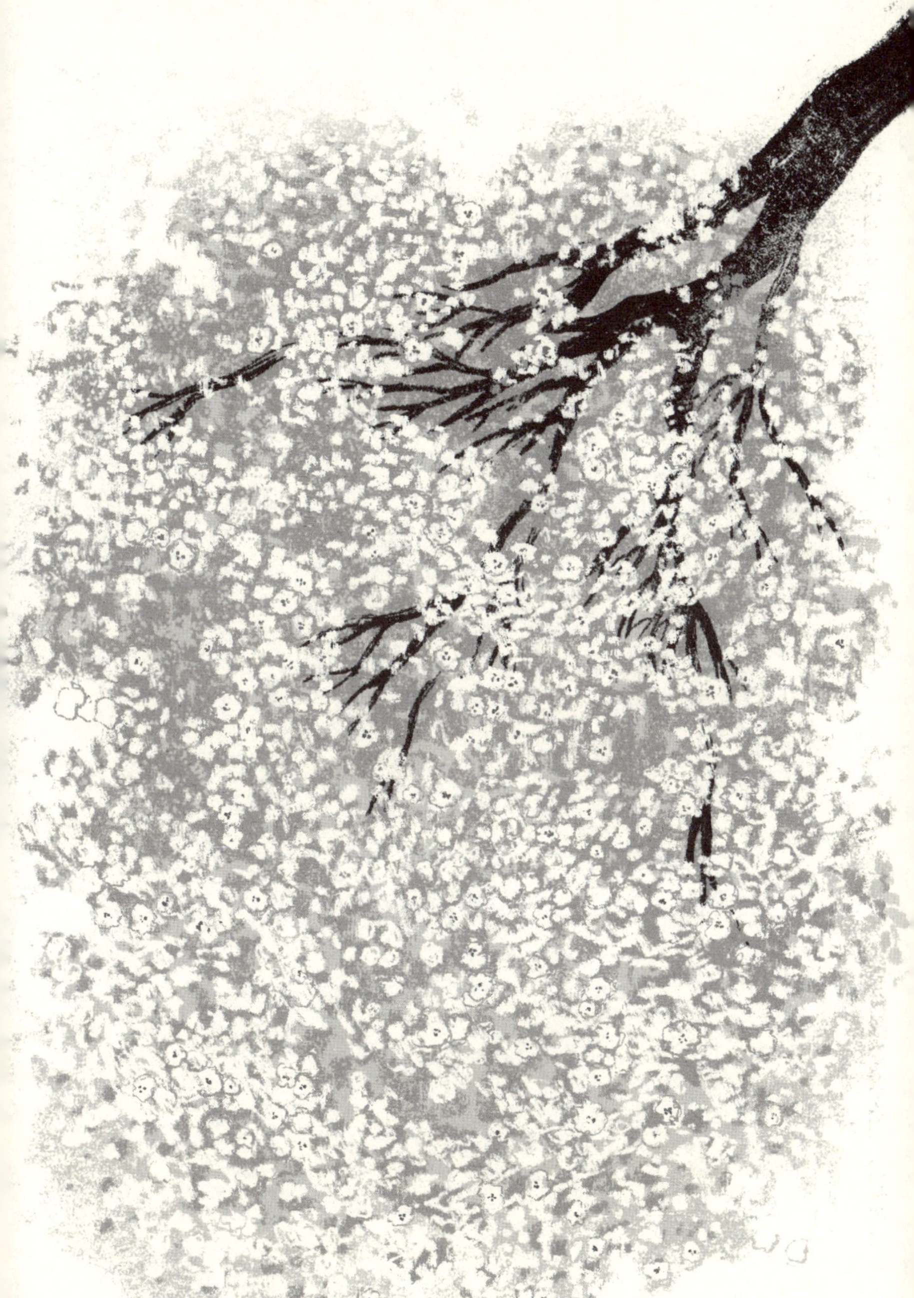

PARTE CINCO
Trinta metros

16

Mesmo porque ela me encontra de qualquer jeito

— Parabéns pra você, nesta data querida, muitas felicidades, muitos anos de vida! Mafalda! Mafalda!

A mamãe entra na sala escura com um bolo cheio de velhinhas que iluminam seu rosto e seu sorriso. Quase parece que só tem ela na sala, e que atrás do sofá está escondido um coro que canta "Parabéns pra você". Pelo menos para mim parece isso. Estou sentada com as pernas cruzadas debaixo da mesinha, e ao redor, no sofá e no chão, estão o tio, a tia, André, Ravina, papai e Felipe. Clara não pôde vir, a mãe dela disse. É mentira, mas não me importo, eu a convidei só porque meus pais insistiram. Eles não gostam de que não somos mais amigas. Eles não sabem que quando a gente cresce os amigos podem mudar? E que é melhor ter amigos que não contam mentiras? Ótimo Turcaret está escondido debaixo da mesinha pensando que está seguro, não está acostumado com toda essa confusão. Mas a mamãe coloca o bolo bem em cima do seu esconderijo e ele foge na hora, mesmo porque todos cantam muito alto:

— Parabéns pra você!

Encho as bochechas como um balão e sopro tanto que um pouco de chantili voa do bolo e vai parar no tapete. Geralmente eu consigo apagar todas as velinhas, mas este ano não consegui, uma ainda está acesa, e devo recuperar o fôlego para deixar tudo escuro. Todos batem palmas e gritam para eu fazer um pedido. A fumaça das velinhas vai nos meus olhos. Fecho os olhos de novo, pensando no meu pedido, mas de repente me dá medo. Abro os olhos bem devagar e ainda está escuro. Fecho de novo e conto até dez, enquanto os outros continuam perguntando qual é o meu pedido. Tento levantar apenas os cílios de um olho. Ufa, alguém acendeu a luz e consigo ver mais ou menos todo mundo, até o bolo de chantili e a linha de bexigas que o papai pendurou entre o lustre e as paredes (parecem cerejas nos galhos). Teria sido horrível ficar no escuro justo hoje, que é o meu aniversário de dez anos.

Ainda bem que a mamãe já começou a cortar o bolo, assim ninguém me pergunta mais qual é o meu pedido. Felipe vem comer a sua fatia de bolo na mesinha perto de mim. Usa o garfo, mas acaba sujando quase toda a cara, porque come muito rápido. A tia olha para ele preocupada e com um pouco de nojo também. Ele vira na direção dela e aponta para o bolo com o seu garfo cheio de chantili e migalhas:

— *Muifo bom!*

A tia ainda parece preocupada, mas responde:

— Muito obrigada, querido. — Porque foi ela quem fez o bolo.

Eu seguro a risada, como quando Estella percebe que Ótimo Turcaret fez suas necessidades na horta da escola.

O telefone de casa toca. Em meio à confusão, só eu escuto o primeiro toque, aliás, parece até que sinto um pouco de ar acariciando a pele do meu rosto depois daquele som tão claro e brilhante, o papai também escuta em seguida e vai atender na cozinha, com o telefone sem fio. Logo depois volta e me chama.

— Tem uma pessoa que quer dar os parabéns pra você.

Vou atrás dele na cozinha e me sento à mesa. O papai me passa o telefone e eu fico sozinha com a mamãe, que está enchendo a lava-louças.

— Alô?
— Feliz aniversário de dez anos, pequena princesa.
— Mas quem?
— Sou a rainha das amazonas, isso faz você lembrar alguma coisa?

A voz está tão fraca, não é aquela voz vibrante de quando ela grita para eu voltar pra classe ou pra eu me virar sozinha, quase não a reconheci.

— Estella! Onde você está?
— Estou no hospital.
— Fazendo o quê?

Do outro lado faz um silêncio. Por um momento.
— Vim ver uma amiga.

— Está mal?

— Ela não. Digamos que trabalha aqui.

Talvez essa amiga que trabalha no hospital seja a doutora Olga! Quando vou perguntar para Estella, ela recomeça a falar:

— E então, a festa está boa?

— Sim, mas estou triste que você não está aqui.

— Eu também estou. As festas são uma coisa boa. Procure se divertir muito, muito, muito. Amanhã na escola você vai encontrar o meu presente.

— Como assim vou encontrar? Você não vai estar lá?

— Amanhã, não. Essa minha amiga vai ficar aqui ainda por um tempo e eu preciso cuidar dela.

— Posso conhecer ela?

— Melhor não. Aliás, nunca. Você nunca, nunca, nunca vai conhecer ela, Mafalda. — Fico um pouco com ciúmes.

— Então, tchau.

— Tchau. Lembre-se do presente, está na salinha, na gaveta das batatinhas.

— Está bem. Manda um beijo pra sua amiga.

Estella faz um longo silêncio. Depois, com uma voz estranhíssima, me diz:

— Parabéns, Mafalda, pequena princesa! — E desliga.

Meus óculos estão embaçados. Tenho uma ideia: será que foi Estella quem deixou o bilhete na minha carteira há um tempo?

— Vem abrir os presentes? Toma, abre primeiro o meu! — Felipe entra correndo na cozinha e não freia a tempo. Me derruba com a cadeira e o presente e quase acabamos dentro da lava-louças. A mamãe passa por cima de nós com seu salto alto (hoje ela colocou salto mesmo não sendo um dia de salto), pega a salada de frutas da geladeira e fecha a porta.

— Sim, talvez seja melhor você ir pra lá e abrir os seus presentes, Mafalda. O pai de Felipe vem buscar ele em meia hora.

Por um momento espero que na caixa de Felipe tenha uma camiseta com meu nome estampado, como aquela que ele deu de presente para Emília. Mas o que encontro é muito melhor. De cara não reconheço o que é. Parece uma espécie de aparelho de som em miniatura. Apalpo: tem um microfone também. Daqueles de verdade, não de plástico como nos brinquedos de criança.

— É um *karaokê*, mas especial. — Felipe pega a caixa e abre espaço entre os convidados até chegar à TV. Eu o vejo apertando várias teclas e conectando o fio do microfone em alguma parte atrás da tela. Com o controle remoto do *karaokê*, ele inicia o programa enquanto me explica:

— Primeiro, tem uma música cantada por uma pessoa, assim você escuta e aprende. Depois, começa a melodia e você pode cantar sozinha. Se não lembrar da letra, pode voltar e escutar de novo.

Da TV sai uma música que já ouvi algumas vezes no rádio, no carro da mamãe. André se levanta do sofá e pega o microfone:

— Era um garoto... que como eu... amava os Beatles e os Rolling Stones...

Canta muito mal para um professor de música. Mas os outros nem se importam com isso e cantam também. Me aproximo de Felipe e lhe digo no ouvido, meio gritando por cima da voz dos outros e meio cochichando para não ser descoberta:

— Obrigada. Eu gostei muito.

É uma pena que não vou poder usar esse lindo presente muitas vezes. Me pergunto se devo contar a Felipe sobre o meu plano de ir morar na cerejeira. Ele procura algo dentro da bolsa de plástico do *karaokê*.

— Tem o cartão também — diz, me entregando um envelope azul.

Eu pego sem dizer nada. Olho ao redor, ninguém está prestando atenção em nós, assim posso arrastar Felipe para o corredor.

— Vou ler o seu cartão hoje à noite na cama, está bem?

Ele coloca as mãos na cintura.

— Por que não agora?

Eu giro o envelope nas mãos.

— Porque não consigo ler.

— Usa a lupa.

Eu ergo as sobrancelhas da testa até os cabelos.

— Como você sabe que tenho uma lupa?

— Um dia eu vi você colocando no bolso. Vai, usa. Por que você leva a lupa por aí se não usa?

— Tenho vergonha. Nunca uso a lupa na frente de ninguém. — Felipe não se move e não diz nada. Ao final, eu me rendo. — Tudo bem, mas vamos para o meu quarto.

Escapamos no corredor e vamos para meu quarto. Ótimo Turcaret está em cima da cama e só faz *miau* quando Felipe o coloca no colo puxando-o pelas patas da frente. Sento perto deles e abro o envelope. Dentro tem uma folha dobrada no meio com marcas pretas.

— Eu usei uma canetinha grossa — diz, todo orgulhoso.

Pego a minha lupa de Sherlock Holmes do bolso. Aproximo a lupa de um olho e coloco a folha atrás dela.

PARABÉNS PELO SEU PRIMEIRO
ANIVERSÁRIO COM DOIS NÚMEROS!
BEIJOS DE
FELIPE, CRISTINA E MAURO

— Mauro é seu pai?
— Sim.

Ficamos ali tranquilos na minha cama por um tempo. Felipe faz carinho atrás das orelhas de Ótimo Turcaret e eu olho para eles, mas não enxergo de verdade. Penso.

— Esta semana você está com ele?

É a primeira vez que falamos sobre isso.

— Só ontem, que era sábado, e hoje.

— Você não está feliz de ver ele?

Felipe encolhe os ombros e continua fazendo carinho em Ótimo Turcaret.

— Não. É culpa dele que eu fiquei louco.

— Quem falou isso?

— Os *psicologistas*. Até aquele da escola. Diz que não consigo prestar atenção e que fico nervoso muito fácil desde que meus pais se divorciaram.

— Mas você não faz de propósito. — Como parece que os óculos transparentes de Felipe ficaram embaçados, eu coloco um braço em volta de seus ombros. Ele não se move, mas começa a chorar, com todo o seu corpo, com as costas, com as pernas, até com os pés. Ótimo Turcaret desce do seu colo por causa do balanço e pula na cadeira da escrivaninha. A única coisa que não chora em Felipe é a voz. Assim, ficamos em silêncio no meu quarto, até que os grandes venham nos chamar e, como sempre, estragar tudo, até as plantas que não fazem barulho.

— Mafalda, apaga a luz.

Estou deitada na cama de pijama e Ótimo Turcaret está em cima da minha barriga. Estou de olhos fechados desta vez. Eu nunca fecho os olhos, exceto quando caminho no pátio com a venda. Quero ficar com eles abertos e arregalados até o teto, assim entra um montão de luz para ter o suficiente para o resto da vida.

Mais cedo, quando todos foram embora da festa, o papai tirou a fila de bexigas do lustre e eu perguntei se podia ficar com uma. Coloquei debaixo da cama, porque me serve como balão para voar da cerejeira, caso precise, por causa do frio ou quando eu estiver velha.

Mas hoje à noite preciso descansar os olhos. Não estou cansada, juro, mas eles sim. Estico uma mão para trás na direção do meu abajur, onde sei que fica o interruptor para apagar a luz. A mamãe entra no meu quarto e então eu levanto somente os cílios para ver como é uma mãe no escuro. Primeiro chega o seu perfume de picolé de menta, depois vejo a sua sombra de cabelo comprido, sem rosto e com as roupas pretas cheias de noite, que está um pouco mais escura do que meu quarto sem luz. É estranho, eu achava que no escuro tudo fosse preto e pronto. Mas as mães conseguem aparecer até no escuro mais escuro. Talvez elas *enxerguem* no escuro, como os gatos. Para encontrar seus filhos em perigo. Mas se fosse assim, então eu também poderia ser mãe. Eu levanto um pouco, me erguendo pelos cotovelos:

— Mamãe, você consegue me encontrar mesmo no escuro?

A mamãe se senta perto de mim e acaricia meus cabelos.

— Não posso ver você no escuro, Mafalda, mas tenho certeza de que conseguiria encontrá-la de qualquer forma. E agora vá dormir, que já está muito tarde.

A mamãe se inclina sobre mim e me dá o beijo de boa-noite. Seus cabelos balançam suavemente sobre o travesseiro, como ondas de algodão-doce, só que pretos. Passo meus dedos entre seus cabelos até que ela se vá. Macios.

Não disse para a mamãe que o escuro de antes era o meu. Até porque ela me encontra de qualquer jeito.

Esta noite não estou com vontade de falar com você, Cosme, nem com a vovó.

Vocês estão aí juntos e tranquilos, passam de um galho a outro com cordas, leem livros e nem se deram conta de que me faltam só sessenta passos para chegar até a cerejeira. Entendeu, Cosme? Trinta metros. Nem é muito.

Seu irmão uma vez falou de você com um velho sábio francês e explicou a ele que você estava nas árvores porque para enxergar bem a terra é necessário ficar a uma altura correta, ou pelo menos você achava isso. Mas eu, a que distância devo ficar para conseguir enxergar bem a minha árvore?

17

Jogar basquete com bolinhas de papel

A doutora Olga tem os olhos verdes, me lembro.

Tento descobrir se são verdes mesmo, mas essa névoa cinza na frente do seu rosto não sai dali. Por isso estou aqui ainda, ainda com o papai e a mamãe sentados à direita e à esquerda, nas mesmas cadeiras desconfortáveis da outra vez.

A doutora Olga coloca nas minhas mãos um bastãozinho longo e liso. Um lápis. Apalpo até em cima e sinto com os dedos que tem a mesma borracha-dinossauro de sempre.

— Eu não encontrei uma com os deuses egípcios, desculpe.

Tudo bem. Não gosto tanto de borrachas assim. Elas não são essenciais. Mas por educação agradeço como sempre e fico com o lápis na mão como se eu gostasse dele. A doutora Olga tem um bloquinho todo branco sobre a mesa, e eu sei que ela deixa as crianças usarem para desenhar. Está bem na minha frente e começo a rabiscar. Enquanto os grandes falam, eu finjo que não estou ouvindo. A gente tem tantas coisas para fingir depois do aniversário com dois números: fingir que a luz está acesa, que não está chorando, que não está escutando... E depois, quando for grande, vou ter que fingir que não estou falando de uma pessoa que está bem aqui, como o papai e a mamãe estão fazendo agora.

— Como ela está, doutora? — pergunta o papai.

— Não está tão mal.

Uma outra coisa que a gente tem que fazer quando for grande é começar as frases sempre com "não" para dizer tudo ao contrário. Na verdade, eu acho que "não está mal" quer dizer que está mal. É como quando a professora vai ao cabeleireiro e depois vem para a escola e pergunta como ficou. Com certeza todos os meninos acham que está ruim, mas dizem "não está ruim, professora" para agradarem e não serem interrogados.

A doutora Olga continua:

— Já começaram a leitura em braile?

O papai responde que sim, que eu estou treinando.

— E não pouco.

Aí está outro "não" que significa o contrário. Eu li só *O pequeno príncipe* com os pontinhos do braile. Mas eu gostei muito.

A mamãe está com a voz cheia de lágrimas dentro.

— Doutora, não teria algum instrumento para facilitar as coisas para ela?

— Existem óculos com câmeras que projetam nas zonas ainda não comprometidas as imagens captadas externamente.

Outros óculos? Espero que não. Parecem ser muito complicados e acho que devem machucar.

— ... mas no estado atual não trariam nenhum benefício. Melhor não cansá-la ainda mais.

Me salvei. Aqueles óculos com certeza são feios e aposto que colocariam a câmera em cima da minha cabeça. Todos iriam rir de mim na escola.

Depois de um tempo em silêncio a doutora me faz dar um pulo da cadeira dizendo:

— Que desenho bonito, Mafalda! Parece A *noite estrelada* de Van Gogh.

Eu olho para a folha e tenho certeza de que fiz apenas círculos, um monte de círculos cinza. Parece que esse Van Gogh também tem a névoa, se ele desenha como eu.

Mas a consulta na doutora Olga não foi um desperdício, porque agora eu sei como usar o lápis com o dinossauro que ela me deu ontem.

A minha classe está toda em silêncio, tem prova de geometria e é difícil. Eu fiz a prova com figuras de plástico que se tocam, o professor Fernando me deu um A- e agora está lendo seu livrinho chinês em uma carteira no fundo da sala. Quase sempre me dá A-.

— "A" pelo empenho, "menos" porque senão é muito — diz.

Eu viro lentamente para trás. Kevin está muito concentrado nos eixos de simetria que ele nunca entende.

— Psiu.

Kevin levanta a cabeça da folha mas logo a abaixa novamente.

Eu precisava que a professora saísse para beber café. Já que terminei a prova, me ofereço como voluntária para ver se ela fica com vontade.

— Professora — digo em voz baixa me aproximando de sua mesa —, hoje posso ir pegar café para você?

Ela põe de lado o celular em que estava jogando (faz *ding!* a cada ponto, mas muito baixo, só eu na classe consigo escutar) e responde que não.

— Eu vou. Você anota em uma folha o nome de quem conversar.

Coloca uma folha na minha carteira, pega a bolsa e sai. Ótimo. Agora posso tentar de novo. Kevin está batendo com seu lápis preto e amarelo na borda da carteira, está deitado de um lado. Esses eixos de simetria não entram mesmo na cabeça dele. Tento focalizar Fernando, está lá perto do armário, não deve me descobrir. Parece tranquilo. Apoio um cotovelo na carteira de Kevin e sussurro:

— Ei, gostaria de um dinossauro?

Eu sei que ele gosta dessas coisas. Serpentes, répteis e coisas verdes e dinossauros. De fato, ele se levanta da posição relaxada em que estava e responde direto que sim.

— Então vamos fazer uma troca. — Cubro a minha boca com uma mão. — Está vendo esse lápis?

Tiro do bolso do uniforme o lápis com a borracha-dinossauro.

— Bonito — diz ele.

O professor Fernando faz *shhh*, mas não desgruda do seu livrinho. Coloco o lápis na frente da prova de Kevin.

— Eu dou de presente pra você se você me trouxer uma coisa.

— O quê?

— Eu gosto muito daquela sua capa de chuva em forma de poncho, aquela que você usa nas viagens. Vamos fazer uma troca?

Kevin não pensa nem por um segundo.

— Não mesmo. Vou comprar esse lápis em uma papelaria.

Ah não. Não funcionou. Os óculos ficam completamente embaçados.

— Olha que você não encontra este lápis na papelaria. Só eu que tenho. Se você quiser, tem que me dar o poncho.

— Então você tem que me dar o lápis e sua lupa de detetive.

A minha lupa? Não sei, não tenho muito tempo para pensar. Mesmo porque ela quase não é mais útil para mim. Tiro a lupa do bolso também e dou para Kevin, que esconde tudo embaixo da carteira. Depois levanta o estojo na frente do meu rosto.

— Você me traz amanhã?

— Nem a pau! — diz, e no mesmo momento a professora volta para a classe com o café. Geralmente eu gosto do cheiro de café da máquina, mas hoje pinica o meu nariz e faz sair até uma lágrima do olho direito, como quando a gente está com sono e os cílios ficam molhados. Só que o meu sono neste momento é uma raiva imensa, e não me importa mais nada de lápis nem de poncho, só quero fechar os olhos e desenhar uma cruz gigantesca sobre todos, exceto Estella e Ótimo Turcaret, e sobre todas as coisas, exceto a minha árvore.

A minha árvore.

Às vezes penso em como será viver lá em cima e imagino uma espécie de casinha toda feita de folhas, perto dos ninhos dos passarinhos. Sempre tem muitos na cerejeira. Depois, quando eu me sentir sozinha, vou bater no tronco e a voz da vovó vai me dizer:

— Quem é?

— Mafalda — vou responder, e a cerejeira, ou melhor, o gigante vai sacudir a cabeça para fazer cair um pouco de flores rosas e brancas ao redor de nós, e eu e a vovó brincaremos de dar forma às nuvens.

Mas, para conseguir, vou precisar da minha lupa de Sherlock Holmes. Me sinto estranha sem ela e, ainda por cima, foi meu pai quem me deu de presente. Não posso ir para a árvore sem uma lembrança do papai. Toca o sinal do intervalo e a professora faz a gente sair no corredor para a merenda. Kevin foge da carteira e vai se esconder no banheiro. Me apoio perto da porta da sala com os braços cruzados e deslizo para o chão, raspando as costas contra a parede. Eu vi isso em um filme. E lembro agora que faz tanto tempo que não vejo um filme, e que tenho quase certeza que não vou conseguir ver outro antes de ficar no escuro. Nem depois. Por quê? Por que comigo? Escondo a cabeça entre os joelhos e choro.

— Por que está chorando?

Algumas migalhas com cheiro de brioche de cereja caem nas minhas mãos. Levanto a cabeça. Um par de tênis pretos e duas pernas dentro de um jeans. Podia ser de qualquer um, mas eu sei de quem é essa voz.

Felipe se senta no chão ao meu lado e me escuta, enquanto conto o que aconteceu com Kevin. Se eu falo muito, Felipe para de me ouvir, isso foi uma coisa que eu reparei depois de um tempo que o conheci, assim sempre procuro fazer um resumo para ele. Ele já fica em pé um pouco antes de eu terminar a última frase. Joga o papel do brioche no lixinho que está bem longe, acho, comemora sozinho pela cesta e depois para na porta da minha sala.

Eu também me levanto e aperto forte sua mão, que já está na maçaneta da porta, porque é proibido entrar na sala sozinho durante o recreio.

— O que você quer fazer?

Ele me empurra para trás, devagar, mas decidido.

— Vou ajudar você a pegar suas coisas de volta. Fica aqui e me avisa se chegar alguém.

Tento impedi-lo, porque tenho medo de não ver a tempo se alguém chegar e nos descobrir, mas Felipe se enfia na sala com a velocidade da luz e começa a vasculhar todas as mochilas. Eu estou metade dentro da sala e metade no corredor e sinto meu estômago tremendo de ansiedade.

— Debaixo da carteira! Olha atrás da minha, embaixo!

Nem preciso explicar onde fica a minha carteira, vejo que ele para no lugar certo. Uma mão toca o meu ombro.

— O que está acontecendo?

Uma das professoras velhas, que conheço pouco, está parada atrás de mim e está olhando dentro da minha classe. Estou paralisada de medo. Outra pessoa se aproxima para ver a cena.

— O que você está fazendo? — pergunta a professora para Felipe, por cima da minha cabeça. Felipe continua abaixado, escondido entre as carteiras, mas já nos descobriram.

Um grito vem de trás da professora:

— Aquelas coisas são minhas! Estão me roubando!

Kevin me empurra para o lado e corre para a carteira dele, então começa a dar uns puxões em Felipe para pegar de volta o lápis e a lupa. Mas Felipe não desiste.

— Não são suas. Você pegou dela, são dela!

— Ela me deu de presente! Agora são minhas!

— Você trapaceou.

E enquanto gritam e se puxam, e até se batem um pouco, chega a vice-diretora da escola, que separa os dois e pergunta de quem é a culpa de toda aquela confusão. Na hora, Kevin grita que quem começou foi Felipe, que o estava roubando, e então eu também começo a gritar que aquelas coisas eram minhas.

— Você que me deu, sua besta!

Sem entender bem com que coragem, me lanço na direção da voz estúpida de Kevin e me pego sem óculos dando socos. Alguns atingem o ar, outros alguma coisa macia, que espero que seja a cara de Kevin. Sem óculos dá para entrar em uma briga, preciso me lembrar de escrever na nova lista.

As cadeiras que ficam do lado da secretaria, no corredor, são desconfortáveis como aquelas da doutora Olga, só que desta vez não são o papai e a mamãe que estão me acompanhando, mas Felipe, que também está com uma bela advertência para o diretor e os pais assinarem.

É a primeira vez que vou parar na diretoria. E não foi justo. Esse ano fiz tantas coisas que jurei na catequese que jamais faria. Mas foi uma questão de necessidade, eu não queria me comportar assim tão mal. Não queria fugir de casa, e com certeza não queria bater em Kevin. Bem, talvez eu quisesse bater nele de verdade, mas ele trapaceou e eu odeio quando não me dizem a verdade.

— Eu sei que você não gosta de mentiras, mas daqui a pouco vou ter que contar uma e você tem que ficar quieta, tá?

Felipe encosta bem de leve no meu braço. É a primeira vez que ele encosta em mim sozinho, por querer. Mas que mentira ele tem que contar? Eu não gosto de mentiras. Estella repete sempre: só a verdade.

— Se eu não falar isso, você também vai ficar encrencada, então fica quieta.

Aperto os óculos no nariz e olho fixamente para ele.

— E o que é?

— Nada. — Felipe balança as pernas embaixo da cadeira. — E você não vai ter que falar nada. Quer jogar basquete?

Ele faz uma bolinha com a folha da advertência e joga na direção de uma planta de mentira que fica no canto do corredor, ao lado de uma copiadora. Ali deve ter uma lixeira. Escuto a bolinha cair ali dentro com um baque.

— Tenta você.

Como não tenho nada para jogar a não ser a folha da advertência, faço a mesma coisa. Já fui punida mesmo. Jogo a bolinha na direção da lixeira e escuto ela bater na parede e cair no chão. Errei.

Felipe corre para pegar as bolinhas de papel e devolve a minha.

— Vamos tentar de novo.

Estou tentando a sexta jogada quando o diretor sai da sala para assinar nossa advertência.

— Mas o que vocês estão fazendo? — E dessa vez nem preciso do terceiro olho para saber que ele está muito, muito, muito bravo com a gente.

A minha coragem ficou amarrotada junto com a advertência, atrás da fotocopiadora. Estou para confessar esse crime também (é assim que se diz quando a gente não respeita uma regra, né?), mas Felipe se coloca entre mim e o diretor:

— Fui eu.

O diretor é um senhor alto e muito magro, com poucos cabelos e veias azuis na testa. Eu lembro dele. Não é uma pessoa má, só que está sempre na sua sala e não fala muito com os alunos. Parece um pouco com o faxineiro sujo de molho. Quem sabe não são amigos em segredo e bebem café juntos falando da gente. Impossível. São muito diferentes. Mas eu e Felipe somos diferentes e somos amigos. Felipe parece conhecer bem o diretor.

— É culpa minha, eu entrei na sala dela e ela tentou me impedir, e depois forcei ela a jogar basquete com a folha da advertência.

Não é verdade. Quero dizer ao diretor, fico de pé, mas ele já se virou e está entrando na sua sala com um longo suspiro.

— Não está bem assim, meu menino, não está nada bem. Vamos deixar a senhorita ir e vamos conversar um pouco.

Felipe nem olha para mim e, quando tento pará-lo, ele tira o braço e me fala para ir embora. Sigo-o até quase dentro da sala do diretor. A última coisa que consigo ver são os seus óculos e a porta que se fecha, e talvez um sorriso.

Felipe é o meu Garrone.
Só que o diretor não percebeu que ele mentiu para me salvar.

Tenho que correr.
Faz muito tempo que não corro, como o vento, como as pessoas fazem no parque e na pista de corrida.
Olho ao redor. Não tem ninguém por perto, na entrada da escola e no corredor, nada se move. Ouço uma porta que se abre à minha esquerda e algumas secretárias rindo. Uma senhora com uma saia preta muito elegante passa na minha frente com umas folhas na mão. Acho que vai usar a copiadora. Eu a ouço pressionando os botões e abaixando a tampa, e uma luz verde faz brilhar faíscas elétricas nos meus olhos. Olho para o outro lado. A secretária me pergunta se eu preciso de alguma coisa. Eu sigo na direção da minha classe, já que aqui não posso fazer nada para Felipe.
A secretária recolhe as folhas e volta para a sala. Escuto a porta fechando. Agora estou realmente sozinha na escola. Fico parada e conto até dez na minha cabeça. Ninguém passa, ninguém me procura. Então disparo em direção à salinha de Estella. Só preciso atravessar o grande espaço onde fazemos as apresentações. Na minha escola, os pisos são azuis, as paredes, cinza e as portas, cinza e azuis. Parece que estou correndo no nada. Bato com todo o meu corpo contra a porta da salinha, abro-a, entro e a fecho novamente

com a maior pressa. Me coloco contra a porta com o coração batendo como o bongô do meu primo André.

Para me acalmar, olho ao redor, mesmo com os óculos sujos e enevoados, ou talvez sejam os meus olhos, sujos e enevoados como o vidro do carro da mamãe. Eu também precisaria de um limpador de para-brisa para limpar o escuro. Mas ainda não inventaram limpadores assim tão pequenos. A salinha está escura, ninguém abriu as persianas hoje. Tem só uma espécie de tubo de luz muito lindo que entra por uma janela, uma daquelas que dão para o pátio. Coloco uma mão no tubo de luz e brinco um pouco com o pó, movimentando-o, e abro a minha mão branca para ver as linhas retas feitas de sombra que se formam atrás dos dedos. As coisas claras e as escuras são as únicas que consigo enxergar razoavelmente bem, anda mais se estão perto umas das outras. Ainda com a mão no tubo de luz, me movimento e procuro observar bem a sombra da minha mão nos objetos da salinha: a cadeira com rodinhas, a escrivaninha, o móvel das batatinhas... O meu presente de aniversário! Estella tinha dito que deixaria ele ali. No mesmo instante entro embaixo da escrivaninha e abro a gaveta das coisas confiscadas. Dentro, procurando com as mãos, encontro um pacote de papel enrolado com um laço. Tiro o pacote da gaveta e coloco em cima da escrivaninha. É um pacote mole, estranho.

É a segunda vez em pouquíssimo tempo que me dão algo mole de presente. Vamos ver o que é.

Sento na cadeira com rodinhas e vou abrindo o pacote bem devagar. Nunca quero estragar os papéis de presente. Mas no final não resisto e rasgo. Uma estrela. É a primeira coisa que vejo. Uma grande estrela branca. De pano. Porque está estampada em uma camiseta, uma camiseta preta. Parece uma daquelas que a mãe de Felipe faz na sua loja. Talvez Estella tenha encomendado lá. Gosto muito da ideia de Felipe e Estella estarem ligados a algo que tenha relação comigo. Aperto a camiseta contra o meu rosto. Estella a lavou e passou com os mesmos produtos que usa em suas roupas, porque sinto o seu perfume. A estrela é um pouco brilhante, posso vê-la com os dedos também. E os meus dedos veem uma outra, menorzinha, na parte da frente da camiseta. Viro a camiseta do outro lado e coloco na frente do uniforme. A estrela menor, sempre branca, fica sobre o coração.

18

Ninguém atirou

No carro da mamãe sempre faz muito calor.

Hoje está fazendo mais ainda, talvez porque eu tenha que contar para ela sobre a advertência e também que a amassei e joguei fora.

Mas ela fala tanto, como sempre, e eu a deixo falar. Apoio a testa na janela, respiro no vidro e desenho uma estrelinha com o dedo. Logo desaparece, nem dá tempo de vê-la. Mas não importa. Estou com a camiseta de Estella na mochila, e ali tem duas estrelinhas, uma para mim e uma para ela, a maior. Em casa vou escondê-la embaixo da cama, assim vou poder levá-la para a árvore e quando for primavera vou colocá-la e Estella terá três estrelinhas todas suas (contando a do seu nome, que significa "estrela").

Subo as escadas de casa e penso que é melhor ligar para Estella para agradecer antes de contar para a mamãe e para o papai que tomei advertência, senão eles não me deixam usar o telefone. Quando subo escadas, fico muito atenta aos degraus, sobretudo quando vou a lugares que não conheço, porque nunca se sabe a altura deles. Mas na minha casa os pés vão sozinhos: eu subo essa escada desde que nasci, um pouco depois, então posso subi-la de olhos fechados. Ou no escuro. Está aí uma coisa a mais para escrever na nova lista.

— Cuidado, menina, abre espaço, abre espaço!

Pulo para um lado, encosto no corrimão, um armário falante está para me atropelar. Falante e ambulante. Vem da minha casa.

— Aonde você vai? — pergunto.

De trás do armário, sai a cabeça de um senhor todo suado que apoia o armário no chão. Fico presa entre o corrimão da escada e o armário. O senhor suado está tão perto que sinto o seu calor e o vejo procurar alguma coisa nos bolsos. Uma folha. O senhor suado lê:

— Rua Gramsci, 23. É pra lá que eu vou.

Pega novamente o armário nos braços e com um cansaço tremendo volta a descê-lo pela escada.

Mas aquele é o armário dos meus pais!

Corro para casa. E tropeço em um caixote que está bem em frente à porta.

— Mas o que...

— Mafalda, presta atenção, tesouro.

— Mamãe, o que está acontecendo?

A mamãe sai da cozinha com uma tampa na mão e a bolsa a tiracolo.

— Nós começamos a mudança. Você se lembra da casa nova? Você também foi conhecer. Temos que começar a levar nossas coisas para lá porque semana que vem vamos nos mudar.

Coloco a mão em uma cômoda que fica na entrada, aquela que tem a fotografia do casamento do papai e da mamãe, mas a minha mão cai no vazio sem tocar em nada. No lugar da cômoda tem só um pouco de ar e de luz cinza. Levaram ela embora. Vai saber se colocaram a foto em uma caixa segura, eu ficaria triste se ela quebrasse, eu gosto muito daquela foto, mesmo que não consiga mais vê-la tão bem.

Alerta vermelho, óculos embaçados. Vou para o meu quarto. No corredor tem um monte de caixas, uma sobre a outra. Tenho que tomar cuidado para não bater em nenhuma, porque são de uma cor que não dá para enxergar bem. Uma cor bem feia. Cor de papel higiênico reciclado. A mamãe me segue com a tampa. Olho para ela por cima dos meus ombros e por um momento não tenho nem certeza de que é ela.

— Mamãe, posso ir para o meu quarto sozinha?
— Tá bom, vai. Cuidado onde pisa. Eu chamo você quando a massa ficar pronta.

Fico parada na porta. Está escuro dentro. Só estendo o braço para o lado para acender a luz, e no mesmo momento fecho os olhos. Dou um passo, depois outro, até que percebo que estou no meio do quarto. Giro bem devagar em torno de mim mesma. E eu sei. Eu sei que tudo ainda está no lugar, que aqui ainda não moveram nem tiraram nada. Eu sinto nas mãos e no rosto enquanto me mexo. Tenho certeza: os móveis estão onde sempre estiveram, as minhas coisas também. Esse é o último cômodo que vão levar embora. Caminho em direção ao armário, encosto nele com uma mão. Madeira clara, eu sei. Outros dois passos e estou na escrivaninha. Foi aí que deixei o apontador, não o estava encontrando na escola. Em um ponto do chão, tem um piso que se move um pouco. Aqui está ele. E acima de mim, à esquerda, quando caminho sobre esse piso, o lustre com os cristais de mentira faz *tim-tim*, bem baixinho. Foi daqui que me vi no espelho a última vez. Abro os olhos. Onde estava o espelho não se vê nada.

Me aproximo. Um passo. Mais um. Mais um. Talvez tenham levado embora somente o espelho, assim, só para começar com alguma coisa. Mexo uma mão à frente para confirmar, mas não dá tempo de levantá-la porque alguém atirou por trás de mim e o espelho explodiu em mil pedaços. Estava ali, estava bem ali e eu... Eu me cortei. O sangue tem o mesmo cheiro da chave de casa.

— Mafalda, o que você fez?

A mamãe chega gritando da cozinha e grita ainda mais quando vê os vidros quebrados e o meu sangue.

— Fique parada aí, vou pegar alguma coisa para enfaixar!

E vai correndo para o banheiro. Ouço ela revirando os armarinhos, aqueles que restaram. Fui eu que quebrei o espelho. Ninguém atirou. Eu dei um soco nele, ele virou e se despedaçou.

Ok, Mafalda, estamos a zero passo do espelho. Hoje é quarta-feira. Segunda-feira vamos para a casa nova, aliás, eles vão. Porque daqui a três dias no máximo eu me mudo para a cerejeira e não desço mais.

Me levanto porque da cozinha vem a voz de alguém que chora e fala com a mamãe. É de manhã, a minha névoa ainda está clara e tenho que aproveitar isso, estou curiosa para saber quem veio nos visitar a essa hora.

Coloco os chinelos, não quero pisar em um caco de vidro, e vou à cozinha prestando atenção nos móveis fora do lugar e nas caixas empilhadas no corredor.

— Bom dia, Mafalda. Desculpe se acordei você.

A voz de Ravina e o preto pretíssimo do seu cabelo. O que ela está fazendo aqui? Pergunto.

A mamãe me faz sentar à mesa e me dá uma xícara de chá com biscoitos.

— A Ravina veio se despedir. Vai voltar à Índia por um tempo.

Quase derrubo o biscoito encharcado na toalha da mesa, imagina que desastre. Empurro os óculos no nariz e olho para Ravina com a boca aberta.

— Por que você vai embora? Quando vai voltar?

Ela suspira. Está com os olhos bem escuros, como quando a mamãe esquece de tirar a maquiagem e depois de manhã parece o panda que vi uma vez no zoológico. Tenho quase certeza que isso acontece quando as mulheres choram.

— Eu e o André terminamos. Então vou voltar para ficar com meus avós. Vou ajudar eles em casa e eles vão me fazer companhia.

Ploc! O biscoito se despedaça de vez e mergulha no chá. Algumas gotas caem fora.

— Mas por que vocês terminaram?

— Mafalda, talvez a Ravina não queira falar sobre isso.

Ravina faz carinho no meu braço e diz para a mamãe que está tudo bem, que na verdade ela veio mesmo ficar um pouco comigo. A mamãe me diz para não estressá-la demais e começa a enxaguar a louça da janta de ontem. Ainda não estou acostumada a vê-la sempre em casa, acho que ela vai sair para trabalhar a qualquer momento, mas está sempre aqui me vigiando.

Ravina me explica que foi ela quem deixou André porque ele nunca dizia que gostava dela. Eu não sei se entendi. "Eu gosto de você" se diz aos pais, aos parentes, aos amigos e aos animais, até onde eu sei, entre namorados se diz "eu te amo", exceto nos Estados Unidos e em todos os lugares onde se fala inglês, porque lá se diz "I love you" para todo mundo. A professora substituta de inglês que me explicou.

— É verdade, sabe, e de fato ele nunca nem me disse "eu te amo".

— Nem em inglês?

— Não, nem em inglês. E eu, ao contrário, disse que o amava pelo menos cem vezes.

Caramba! Ravina disse "eu te amo" cem vezes. Tenho que avisá-la:

— Nossa! Você vai ter cem filhos!

— Que história é essa de filhos, Mafalda? — A mamãe se vira aborrecida para mim.

— Nada, é que se uma pessoa fala para a outra que está apaixonada, depois nasce um filho.

— E quem disse isso?

— Ninguém. — Não quero pôr a culpa em Estella, porque eu acho que entendi um pouco errado essa coisa de filhos. De fato, Ravina me explica que é muito mais difícil ter um filho, não basta dizer "eu te amo", aliás, se uma pessoa está apaixonada e não diz "eu te amo", além de não ter filhos, ainda perde a outra pessoa, como aconteceu com André.

A mamãe prepara o café para ela e para Ravina e, enquanto isso, tomo banho e me visto para a escola. O papai me ajuda a colocar a mochila nas costas e abre a porta de casa. Ravina vem me abraçar. Tem cheiro de igreja como sempre, mas também de água e de praia. É o cheiro de quando uma pessoa chora. Eu acho que cada um tem um cheiro reservado para quando chora, e o dela é de água e praia. Me aperta forte e depois segura meu rosto com as mãos e coloca seus olhos quase dentro dos meus, assim posso vê-los quase bem. Não são pretos. São marrons muito escuros.

— Nunca desista, Mafalda, lembre-se disso.

— Ok. Nunca desista!
— Você é uma rã corajosa.

Desço para o térreo. Me despeço de Ravina com os olhos embaçados, porque é a última vez que a vejo antes de ela ir para a Índia, e talvez ela não volte nunca mais, e mesmo se voltar... eu vou estar no escuro em cima da cerejeira.

19

Isso é interessante

— Você viu que a cerejeira está cheia de flores, Mafalda?

Caminho para a escola de mãos dadas com o papai. Olho na direção da cerejeira e por um instante finjo que estou meditando sobre a beleza das flores, como me disse uma vez Ravina, que é muito boa em meditar, ou seja, em pensar muito forte. Na verdade, estamos ainda muito longe: às vezes o papai ainda me diz coisas como "você viu", "olha ali" e "veja", e eu não gosto quando isso acontece porque ele sempre fica feliz em me mostrar as coisas, então não falo nada e depois de um tempo ele se dá conta do que disse e fica triste, e acho que ele até pensa em pedir desculpa. Então eu falo "espera chegar mais perto" e quando eu também vejo, nós dois ficamos felizes de novo.

Isso funcionava bem até há pouco tempo, porque agora não consigo enxergar quase nada do que o papai me mostra, nem quando nos aproximamos muito. Hoje na cerejeira devem ter nascido as primeiras florezinhas da primavera. Tento fazer como Ravina me ensinou, fecho os olhos e respiro profundamente. Minhas narinas esfriam no mesmo instante, mas assim que chega um pouco de ar, consigo senti-lo: o cheiro da primavera. Para mim é isto, tem cheiro das balinhas de ruibarbo da vovó e de buquê de flores, mas não aqueles da floricultura, que têm cheiro de cemitério, aqueles de verdade, que nascem nos campos e nos jardins de gentis senhoras idosas.

Chega o momento de contar, porque tenho quase certeza que vejo alguma coisa que se parece com uma árvore florida. A escola está coberta por uma das minhas nuvens cinza, mas tenho certeza de que, ali mesmo ao lado, a minha árvore está me esperando com todas as flores em seus galhos. Lembro como são as flores da cerejeira na primavera, são como bolinhas, com *muuuitaaas* borboletas brancas enroladas na cabeça do gigante depois das férias de inverno.

Por isso, mesmo sem ter tanta certeza de estar vendo bem, começo a contar: um passo, dois passos, três... Quanto mais me aproximo da escola, mais respiro o odor doce e fresco da primavera que tem cheiro de bala. O ar é uma senhora sorridente que passa o seu cachecol de seda azul no meu rosto e nos meus cabelos. Uma madeixa faz cócegas no meu nariz, mas não a afasto. Conto os passos e chego até cinquenta e dois. São vinte e seis metros da cerejeira. Vinte e seis, mas um pouco trapaceado. E se aquilo que eu vi, ou seja, as flores de bolinhas e toda a árvore, não for de verdade, mas sim o que me lembro dos anos passados, teria dado a mesma coisa?

Tenho que pensar bem nisso. Ravina disse que é importante ser honesta comigo mesma, não sei bem o que isso quer dizer, mas acredito que seja algo que tenha a ver com a verdade. Não contar mentiras nem na própria cabeça. Olho para o chão enquanto penso nisso da mentira na cabeça, mas um assobio bem fraquinho me faz olhar para cima, na direção da escada da escola. Me parece o chamado secreto de Estella, mas muito mais curto que o normal.

Solto a mão do papai e começo a correr pelas escadas, passando ao lado do tronco da cerejeira. Sinto o frescor da casca do tronco, mesmo sem tocá-la.

— Estella! Você voltou!

— Sim...

Subir a escada da escola para mim é natural, como em casa, mas de repente me vejo sozinha, sem nem ao menos a mão do papai ou de Estella, e perco a conta dos degraus. Ao todo são dezessete, e eu geralmente subo dois de cada vez, exceto o primeiro, senão no final fica faltando um e os passos ficam todos confusos. Mas geralmente não tenho medo de subir as escadas da escola: eu não tive medo nem daquela vez que tinha deixado os óculos no carro da mamãe e a vovó veio trazê-los depois. Mas hoje eu tive. Mesmo sabendo o tamanho do passo que tenho que dar até o próximo degrau, parece que o meu pé não se lembra mais de nada e que embaixo de mim não tem mais escada, mas a lava com os crocodilos e se eu cair lá dentro, me devoram e morro cozida.

— Ah!

Perco o equilíbrio, as costas vão para trás e caio. É ruim esperar para cair na névoa. Mas no final não caio. As mãos duras de Estella me pegam pelos braços e me puxam, puxam até o último degrau, aquele mais alto, onde ela está, e termino com os óculos na ponta do nariz e a cara esmagada na sua camisa perfumada.

É a primeira vez que estamos assim abraçadas. A mamãe me abraça sempre, a vovó me pegava no colo mesmo quando estava com dor nos braços e nas pernas. Em Estella tem alguma coisa diferente em comparação a elas. Os abraços da mamãe são macios, de frente, como um travesseiro. E os da vovó também eram assim. Parecia que ela tinha massa de bolo no coração.

Estella é assim só de um lado. Do outro, onde está o coração, dá para sentir que faz *tum tum tum* e nada de massa macia. Levanto o rosto na sua direção para perguntar o que aconteceu com a sua massa, mas do final da escada a voz do papai me pergunta se está tudo bem e Estella se separa de mim e me faz virar para ele, só para ele ver que estou inteira.

Entramos na escola, ela não quer mais abraçar e eu não consigo nem falar com ela de tão boba que sou. O meu terceiro olho me dá um bom conselho, deixar para lá até o recreio. Na porta da minha sala pergunto para Estella se posso ir vê-la mais tarde.

A sua mão dura faz um carinho na minha cabeça, parece a senhora sorridente que estava antes no ar com o seu cachecol de seda azul e não a Estella de sempre, rainha das amazonas.

— O que aconteceu hoje na escada?
— O que você está fazendo?
A salinha está toda de cabeça para baixo. Tem tanto pó na luz que entra pela janelinha, e onde quer que eu apoie as mãos, sinto coisas embaixo dos meus dedos. Até com os sapatos afasto alguma coisa que está no chão perto dos meus pés, uns livros, talvez.

Estella tira o pó do meu nariz com um pano cheio de *spray* para vidros, o mesmo que a mamãe usa.

— Você é uma pequena princesa mesmo, né? Quando tem uma pergunta, nem escuta as dos outros.
— Desculpa. O que você está fazendo?
Estella pendura o pano suspirando e arrasta a sua cadeira com rodinhas na minha frente. Eu sento nela e giro.

— Estou limpando, minha querida. De vez em quando temos que fazer isso.
— Eu sei. Eu também deveria limpar meu quarto. Mas tenho limpezofobia.
Estella sorri, eu sinto pela sua voz.
— E o que é limpezofobia?
Paro a cadeira me segurando na mesa.

— Eu não sei. Eu li em um livro uma vez. Acredito que seja um bloqueio que você tem quando não quer fazer algo.

— Ah, entendi. Acontece.

De repente penso que neste momento um senhor suado pode estar entrando no meu quarto, que eu nunca limpo, e levando embora o armário e a escrivaninha, e a cama, e eu deixei debaixo da cama a coberta da vovó com todas as coisas que preciso dentro. Se eu fosse grande, diria à mamãe e ao papai que mudar de casa não é uma coisa horrível, o que para mim quer dizer que é uma coisa horrível.

— Estella...

A minha amazona se senta em um banquinho e suspira:

— O quê?

— Você nunca sente medo?

Sinto ela colocando as mãos na cintura. Ela e Felipe fazem isso de uma maneira quase idêntica.

— Claro que sinto medo às vezes. É normal.

— E o que você faz?

— Penso. Procuro uma solução. E se eu não consigo, imagino alguma coisa bonita, divertida, que me deixe feliz e não mais assustada.

— E quando você sente muito, muito, mas muito medo mesmo?

— Mafalda, o medo não é sempre uma coisa ruim, entende?

— Como não?

— Há dias em que acontecem coisas que dão muito medo mesmo...

— Como uma mudança, por exemplo? Ou o escuro?

— Sim, exatamente como a mudança ou o escuro. Nesses momentos, o medo faz as pessoas pararem para pensar e só assim elas crescem e ficam mais fortes.

— Musculosas, você quer dizer?

Estella sorri, mas está cansada. Tem cheiro de travesseiro (os travesseiros sempre têm um cheiro especial) e de cerejeira no inverno.

— Não, Mafalda, não quis dizer musculosas, mas corajosas. Fortes dentro da cabeça. O medo nos ajuda a ver as coisas com mais clareza depois de um tempo.

— O medo me ajuda a ver melhor? — Isso é interessante.

Escuto Estella se levantar e parar no meio da sala.

— Vem aqui — diz. Empurro a cadeira com rodinhas para me aproximar dela. — Levanta.

Obedeço. Então me dá um pouco de medo, porque na voz de Estella não tem nenhum sorriso. Estou em frente dela, em pé. E agora?

Ela coloca as suas mãos duras novamente nos meus ombros e me puxa para perto dela. Me abraça de frente e eu a abraço também, é algo natural como subir as escadas de casa. Com a têmpora e a bochecha afundadas na sua camisa, eu sinto o mesmo *tum tum tum* de antes, ali onde deveria estar o travesseiro macio que deixa o coração ficar mais tranquilo.

Olho Estella de cima até embaixo. Quase todo o seu rosto está coberto da minha nuvem cinza, mas dá para ver um pouquinho os lábios, ela esqueceu do batom hoje, e os cabelos sempre pretos, pretos.

— Sabe por que sou assim?

Não sei bem o que dizer. Tenho medo de fazer ela se sentir mal por algum motivo, ou de deixá-la brava.

— Assim como? — balbucio em seus braços.

Ela bufa e pega uma mão minha e apoia com força sobre sua camisa, sobre o bolso costurado.

Me dá vontade de tirar a mão na hora, mas Estella a mantém ali, pressionando com a sua.

— O que você sente?

— Nada!

— Não é verdade! O que você sente?

Sinto que estou toda vermelha e agitada e sinto o meu coração batendo como um bongô e... o coração dela. Paro de me agitar e escuto melhor com a mão. O coração de Estella também bate como um bongô. Como o meu.

— O que você sente?

Olho para ela de novo e sorrio.

— O seu coração.

— Viu? Você teve medo, mas depois você parou e, no final, a sua cabeça entendeu tudo e a verdade não era assim tão terrível, né?

— É. — Estella solta a minha mão. — Mas onde foi parar a outra metade da massa? — Ela não responde, acho que não entendeu. — A massa, aquilo macio que deveria estar aí. — Aponto para o seu coração.

— Ah sim, a outra metade. Bem, a minha amiga levou embora.

— Aquela que você encontrou no hospital?

— Sim.

— Que mal-educada.

— Sim, ela não foi gentil em fazer isso. Mas eu pensei nisso e sei o que fazer quando encontrá-la novamente.

— Você tem um plano?

De novo o sorriso.

— Digamos que sim. E você? Tem um plano?

Me aproximo dela de novo e faço ela abaixar até eu conseguir colocar as mãos em volta da orelha dela e sussurrar o meu plano secreto:

— O meu plano secreto é ir morar em cima da cerejeira da escola.

Estella fica um tempo pensando e depois encolhe os ombros.

— Me parece um ótimo plano. Me avisa quando for que eu dou uma mão com a mudança.

Depois ela me coloca para fora da salinha porque deve tocar o sinal do fim do recreio. Ela fecha a porta e eu me encontro no meio da confusão daqueles que correm e gritam e fazem bolhas no suco de frutas, e me lembro da história das amazonas e da sua coragem e do peito cortado para segurar melhor a lança. Estella tinha contado exatamente assim. Me viro na direção da janelinha da salinha, aquela que dá para o lado de dentro da escola e, pelas persianas abaixadas pela metade, parece que vi seus olhos assustadores olhando e sorrindo para mim, só que não são assustadores, são pretos e bonitos. Depois a minha névoa chega e os cobre, ou talvez seja a Estella abaixando as persianas para não deixar que todos descubram que ela é uma verdadeira amazona.

20

Respira

Abro os olhos.

Todas as crianças têm medo de escuro, eu também tenho, porque para mim o escuro é uma venda nos olhos que eu coloquei para brincar e agora não posso mais tirar.

Abro e fecho os olhos muitas vezes. Lá, onde deveria estar a janela com a lua e a Estrela Polar dentro, e de dia o sol, não vejo nada. O meu quarto é cinza. A minha mão é cinza quando a mexo na minha frente. O escuro é cinza-escuro. Que para mim é muito mais feio que o preto.

Ótimo Turcaret é cinza e marrom. Acho que consigo enxergar as coisas que já eram cinza antes do escuro. Não sinto o calor de Ótimo Turcaret nos meus pés. Com uma mão encosto no meu chinelo nos pés da cama mas não está ali também.

— Mamãe!

Respira, Mafalda, lembre-se de respirar. Da cozinha vem um cheiro gostoso de café e bolo. O papai deve ter ido comprar um no mercadinho, já que em casa não temos quase nada por causa da mudança.

— O que foi, Mafalda? Ainda é cedo para levantar. Fica mais um pouco na cama. Eu já chamo você.

— Onde está Ótimo Turcaret?

A mamãe anda pelo meu quarto. Escuto os seus passos descalços, o ar que se movimenta passando perto de mim, o barulho estalado de uma bolsa de plástico e o barulho macio e arrastado das roupas recolhidas e colocadas na bolsa.

Uma gota de suor escorre da minha testa e vai parar perto da orelha. Tenho que disfarçar, porque se a mamãe percebe que fiquei no escuro, não vai me deixar ir a lugar algum, hoje e talvez nunca mais, e vai me levar forçada para a casa nova, e lá não vou saber onde estão as coisas.

— Onde está Ótimo Turcaret? — insisto.

— Em um hotelzinho para animais. O papai levou ele lá ontem à noite enquanto ele estava dormindo. Você sabe que ele não acorda por nada no mundo — diz a mamãe rindo.

Hotelzinho para animais? O que é isso? Os gatos também vão para hotéis? Talvez seja como aqueles lugares onde moram alguns avós que não têm mais ninguém. Mas Ótimo Turcaret tem a mim, por que mandaram ele para um hotel?

— E por que vocês não levaram ele para a casa dos tios?

— Ah, sabe, com essa história do André e da Ravina, eles não vão ter vontade de olhar o gato também.

Mas não se preocupe, é uma coisa temporária, só até terminarmos a mudança.

Não estou mais com vontade de falar com a mamãe. Se não a vejo, posso fingir que não está aqui e não falar com ela. Volto para baixo das cobertas e procuro chorar bem baixinho, só com o corpo como Felipe faz e não com a voz, enquanto a mamãe continua se mexendo e eu sinto a cama vibrando lentamente a cada passo dela.

Felipe. Tenho que falar com ele. Hoje vou para a cerejeira, não posso esperar mais porque o escuro chegou e tenho que tentar *subir lá em cima* antes que os monstros me peguem pelos pés e me levem embora. Mas eu também quero dizer a Felipe que ainda somos amigos para fazer a banda e que posso cantar de cima da árvore e talvez, se tiver bastante coragem, também vou dizer "te amo" e ele não irá embora nunca.

Bem, agora eu vou. Me sento na borda da cama assim que escuto o silêncio absoluto e fico parada com os pés em cima dos chinelos. Parece que estou no topo da montanha-russa, antes da primeira descida, como quando a gente levanta os braços e fecha os olhos. Mas eu não desço. Nunca. Acho que vou vomitar, mas tenho que me acostumar. Respiro. Faço um gesto para pegar os óculos, mas na verdade não me servem para nada. Mas preciso fazer a mamãe e o papai acreditarem que está tudo bem. Melhor colocar. Estico uma mão em direção à prateleira onde os coloco à noite, mas estou atenta demais, bato neles e derrubo. Fico escutando.

Ninguém na cozinha fala nada sobre o barulho. Ouço as colheres batendo na borda das xícaras de café e o papai bocejando como um hipopótamo. Tudo certo, procuro no chão com as mãos, encontro os óculos e os coloco sem pensar muito onde está o meu rosto. Ok, isto é importante: no escuro a gente precisa fazer as coisas e pronto, sem parar para pensar muito. Mas eu tenho medo, e Estella me disse que quando temos medo temos que parar e pensar. Parece que esse método não funciona para mim. Mas como era o outro método? Ah, sim: pensar em uma coisa bonita. A cerejeira.

Tiro de baixo da cama a coberta da vovó com as minhas coisas dentro, a marmita rosa do Bola, o colchãozinho de casal inflável da Clara, o MP3 *player*, camisetas e meias limpas, porque a mamãe sempre diz "Coloca porque se acontece alguma coisa e levam você para o hospital, vai fazer feio com a camiseta e as meias sujas". Kevin ainda não devolveu a minha lupa de Sherlock Holmes, então tenho que ir sem ela mesmo. A mesma coisa vale para a capa de chuva. Vou pegar um guarda-chuva pequeno que a mamãe guarda na cestinha da bicicleta, lá embaixo no pátio. Toco rapidamente nas minhas coisas para tentar lembrar se peguei tudo. Fecho a coberta dando um nó nas pontas e a coloco na mochila, esmagando no fundo. Pego o estojo e os livros que vou usar hoje na escola, eu já tinha separado eles ontem à noite em uma cadeira perto da cama, já que a escrivaninha já está na casa nova, e os uso para cobrir minha trouxa. Fecho a mochila e espero que esteja igual a todos os outros dias e não pareça que estou pronta para fugir de casa. Antes de ir, pego o meu caderninho. Quero dar uma olhadinha na lista de coisas que gosto muito e não vou poder mais fazer, mas como faço? Eu tinha que ter escrito com os pontinhos do braile. Agora posso só tocar na página e sentir a poeira que tem sobre ela, as dobras do papel e o meu coração batendo dentro da ponta dos dedos. Pelo menos eu sei que ainda tem duas coisas escritas na lista, duas coisas que ainda não risquei com a linha preta. Subir na cerejeira da escola. E, na segunda página, ser forte como uma amazona. E talvez eu já esteja atrasada, porque estou muito cansada, não quero mais ser forte como uma amazona, é muito difícil. O escuro chegou e eu só quero subir na cerejeira. Não me importa mais a distância até ela.

21

É que eu nem me despedi de Ótimo Turcaret

Estella me pediu para avisá-la quando eu fosse para a cerejeira, quer me dar uma mão, e acho mesmo que preciso. Daqui a pouco vou ouvir o assobio dela e tudo vai ficar bem, ela vai me ajudar a subir as escadas, vamos combinar de nos encontrar no recreio debaixo da árvore e, quando os outros voltarem para a classe, vou me despedir dela, vou subir nas suas mãos que vão fazer escadinha para mim e vou subir na cerejeira pela última vez.

    Eu me visto com atenção, mas não muita, senão, não consigo. Que azar que a mamãe deixou preparada a camisa logo hoje. Os botões são difíceis de abotoar no escuro. Mas os meus dedos gostam, porque os botões são lisos e frescos e vão rapidinho no espacinho certo. Talvez um não tenha ido, mas devo ficar contente e esperar que a mamãe não os verifique. Ela vem ao meu quarto para pentear as marias-chiquinhas. Cantarola. Não contei da advertência que tomei com Felipe. E agora acho que é melhor ficar quieta, já que daqui a pouco tempo vou estar fora de perigo.

No caminho para a escola respiro bem forte, tanto que em um certo ponto o papai me pergunta se estou bem.

Tenho que me calar. É que eu nem me despedi de Ótimo Turcaret, nem sei onde está... A única coisa que sei é que não vou mais vê-lo e isso faz os meus olhos encherem de lágrimas.

O papai não pode me ouvir chorar, senão ele descobre que tem algo de errado. Aperto sua mão e aponto a cerejeira, mesmo não tendo certeza de que ela esteja mesmo ali onde estou apontando. Arrisco.

— O gigante e a vovó penduraram nos galhos as florezinhas mais bonitas que eles têm, né, papai?

É primavera, falamos de flores ontem e, além disso, o ar da manhã me traz o seu perfume de bala de ruibarbo: acho que vai funcionar. De fato, o papai responde que é isso mesmo e aperta a minha mão também.

Tadinho do papai. No seu livro preferido, é culpa do pai se o barão Cosme vai viver nas árvores, ou pelo menos eu entendi assim. O papai do Cosme era muito severo e fazia ele comer todas as porcarias que a irmã do Cosme cozinhava. O meu papai, ao contrário, é muito bom, mesmo me obrigando a comer atum e escolhendo mudar para a casa nova. Vou escrever um bilhete lá de cima da árvore para explicar tudo para ele.

— Chegamos — diz, e eu quase bato no tronco da cerejeira. Estella não assobiou.

—Acho que hoje a sua senhora não está. Eu acompanho você até lá dentro — fala, e já sinto que está indo para a escada.

— Não, está tranquilo, eu vou sozinha.

Começo a subir os degraus com o coração batendo embaixo do uniforme, no ponto onde está estampada a estrelinha branca. Eu pensei que o melhor jeito de trazer comigo a camiseta de Estella era vestir ela por baixo da camisa.

— Tem certeza?

— Sim, tchau! — Eu me despeço sem olhar para trás.

— Está bem, tchau. Até mais tarde.

Chego à porta da escola e sigo os meus colegas até a classe, tocando as paredes com uma mão, mas bem discretamente, senão as professoras vão perceber na hora. Por sorte hoje não tem prova e Fernando vai me deixar em paz.

No recreio não sei o que fazer, tento me mexer o mínimo possível para não chamar atenção das professoras, e então penso que queria saber onde está Estella, justo hoje que preciso tanto dela. Escuto a voz do faxineiro com a camisa suja passando do meu lado, ele está no celular.

— Com licença.

Ele para de falar no celular e percebo que ficou aborrecido.

— O que foi?

— Onde está a Estella?

— Sei lá! Aquela lá está sempre mal, e aí eu que tenho que fazer o trabalho dela.

— Ela está mal?

— E o que você tem a ver com isso? Você é filha dela?

— Não. Sou a Mafalda.

A voz do faxineiro com a camisa suja muda.

— Você disse "Mafalda"?

— Sim.

— Ela deixou uma carta para você. Espera que vou pegar.

Ele se afasta falando no telefone e eu sigo a sua voz. Alguém chega perto de mim e eu espero que seja Felipe, mas acho que ele está de castigo na classe dele. Às vezes acontece. Muitas vezes.

— Aqui está. E agora tchau, volta para a sala que daqui a pouco toca o sinal.

Estou com a carta de Estella nas mãos. É um envelope e dentro dele tem uma folha dobrada no meio, então é uma carta curta. O que será que ela me escreveu que não pode dizer em voz alta? Alguém tem que ler a carta para mim, e rápido, porque o meu terceiro olho está gritando até não poder mais e talvez nessa folha esteja escrito onde está Estella e como ela está. Preciso encontrar Felipe.

— Mamãe, me leva hoje na casa do Felipe?

— Hoje não, Mafalda, temos que terminar a mudança.

Estamos no carro e por causa da agitação acabei nem colocando os óculos depois da aula de educação física. Fernando me fez fazer uns exercícios bobos enquanto os outros praticavam corrida com obstáculos, e os óculos ficaram no bolso dele. A minha mochila está metade vazia porque deixei minha coberta no banheiro do vestiário, na academia, assim já fica pronta para depois. De tarde a escola fica aberta até as seis para aqueles que vão fazer inglês, xadrez e música, então posso entrar e pegar a trouxa e levar para a árvore.

Só que está dando tudo errado.

— Falta um dia ainda!

— Pra quê? — pergunta a mamãe, e dá para perceber que ficou espantada por eu ter falado bem alto.

— Pra casa nova. Você tinha falado que a gente ia na segunda-feira.

— Eu sei, mas se conseguirmos ir antes é melhor, não? Assim você pode arrumar seu quarto e ir conhecer os vizinhos, e...

Paro de ouvir. Se terminarmos a mudança hoje, estou frita. Resta só uma coisa a fazer: sair escondido, ir até a casa de Felipe para ele ler a carta para mim, descobrir onde Estella está e ir para a cerejeira antes que a mamãe e o papai me encontrem.

22

Subir na cerejeira da escola

Outros senhores com cheiro de suor e de pó e de papelão passam perto de mim. Quanto mais se falam movendo os últimos móveis e caixas, mais eu percebo que a minha casa está vazia. As vozes ecoam nas paredes, as caixas vibram no chão e tenho vontade de tapar meus ouvidos com a mão, mas não posso: iriam me descobrir.

Quero ligar para Felipe com o celular da mamãe para pedir para ele vir hoje aqui para ler a carta de Estella, mas não consigo encontrá-lo nessa confusão e nesse nada que ficou a casa, nem no escuro que tenho dentro dos olhos. No final, eu não aguento e vou em direção à voz da mamãe que está pedindo aos senhores suados para colocar no caminhão a sua bicicleta também, por favor.

— Mamãe, lê uma coisa para mim?

A mamãe está se abanando com alguma coisa que tem cheiro de jornal velho.

— Mafalda, agora não tenho tempo. Usa a lupa, vai.

— Eu deixei na escola.

Então ela se aproxima muito de mim e tira meus cabelos do rosto. As marias-chiquinhas se soltaram um pouco na educação física. Quer saber se está tudo bem. Tenho medo que ela esteja olhando nos meus olhos e descubra que a luz se apagou. O que eu preciso fazer quando tenho medo? Pensar em alguma coisa bonita. A cerejeira. Abro um sorrisão e viro as costas para a mamãe, assim ela pode me pentear. Ela se tranquiliza.

— Está bem, o que você quer que eu leia para você?

Passo a carta de Estella para ela, que a abre e a apoia na minha cabeça.

— Ah, como está escrito grande! Usaram a canetinha preta, como você gosta. Eu acho que você consegue ler até sem lupa.

— Estou sem os óculos. Desculpa. Por favor.

— Está bem. Vamos lá. "Querida Mafalda, há um tempo eu disse pra você que uma amiga mal-educada tinha tirado um pedacinho de mim, você se lembra? Mas a Estella não fala mentiras, só a verdade, então é justo que você saiba que não era uma amiga minha, mas uma doença muito antipática, e a doença agora voltou e está tentando tirar um outro pedaço de mim, ou quem sabe até tudo. Por isso, estou no hospital e não pude fazer nosso assobio secreto." Oh, Mafalda, eu sinto muito!

A mamãe para de ler e a sua voz está muito triste de verdade, mas eu tenho a cabeça cheia de palavras que dão cambalhotas e não me deixam entender nada. Com os olhos pinicando, arranco a carta de suas mãos e...

— Chega!

Corro da voz da mamãe que está perguntando aonde vou e grito que quero ficar sozinha por favor, e depois consigo encontrar meu quarto, mas bem por acaso, e pegar o meu caderninho no chão onde eu tinha deixado, atrás da porta, e arranco as primeiras páginas, a lista e tudo, e saio correndo pela porta na escada onde quase me matei e no portão e no pátio, enquanto a voz do papai passa perto de mim e diz "vai mais devagar" e "não vai longe".

Apoiada na cerca que dá para os fundos, paro para recuperar o fôlego. É uma droga correr no escuro. E mesmo depois de jurar que eu não ia falar mais, agora eu falo: droga, droga, droga, droga, droga, droga, droga, droga! Tudo é uma droga, a casa nova é uma droga, a escola é uma droga, as amigas são uma droga, os avós são uma droga porque morrem, os gatos são uma droga porque desaparecem e não sabem descer das cerejeiras, os namorados são uma droga porque não dizem "eu te amo" e eu sou uma droga porque todos enxergam e eu não.

— Ei, você está se sentindo bem?

Uma voz desconhecida. Do outro lado da rua. Os vizinhos antipáticos que moram na casa da vovó.

— Por que vocês trocaram as cortinas? — Os meus gritos também atingem a mim e as lágrimas entram na minha boca e eu nem percebo que estou chorando tão alto. Com as mãos, procuro o trinco da cerca, abro, puxo-a na minha direção e escapo para a calçada, onde

Felipe parou no outono passado para conversar e fazer carinho em Ótimo Turcaret. O apartamento onde ele mora não é tão longe da minha casa, e quando eu estiver em frente à loja de camisetas estampadas vou chamar Felipe a plenos pulmões e ele vai descer na rua e vai me ajudar a chegar ao hospital, porque eu tenho que contar para Estella o meu essencial. Talvez se eu contar para ela, ela não vai morar no tronco com a vovó e o gigante. Se eu contar para ela o meu essencial, ela vai ficar aqui e me ajudar a subir na árvore, e talvez me explique por que os gatos não sabem descer das cerejeiras.

Procuro caminhar bem rápido na calçada e não perder o caminho. Vou arrastando uma mão nos muros das casas e nos portões dos jardins. Dor! No escuro a dor machuca muito, porque você não está esperando. Uma lasca se encrava debaixo da unha do meu dedo do meio, que, na minha opinião, é o que mais dói de todos, mas não posso parar para chorar, para não perder tempo. Preciso seguir em frente. Parece que eu já toquei esse muro, eu o conheço pelos pedaços de pintura. Tenho a impressão de que estou rodando em volta do meu quarteirão há um tempo. No final da rua, escuto um carro que faz o mesmo barulho do da mamãe. Ele se aproxima. Me abaixo no chão para me esconder, mesmo sem saber se tem alguma coisa na minha frente para me cobrir. Escondo a cabeça entre os braços. O carro passa e não para. Volto a andar. À minha esquerda tem uma porta com um sininho que se abre e ouço vozes de senhores e senhoras que se cumprimentam e *tim*! Copos e xícaras batendo entre si. Sigo em frente fingindo que estou segura e tranquila, mesmo depois de confundir as ruas, e não sei mais para onde ir. Depois de muitos passos, a voz de uma senhora nem velha nem jovem me pergunta algo. Eu estou pensando nas minhas coisas e nem escuto.

— Espera! Aonde você vai sozinha?

Procuro não olhar no rosto da senhora para ela não perceber que estou no escuro e me levar para os meus pais.

— Estou voltando para casa.

— Sozinha? A esta hora? Quantos anos você tem?

— Por quê? Que horas são?

Silêncio. A senhora deve estar olhando no relógio.

— Seis horas. Já está escuro.

Ah não! Estou na rua há quase duas horas e nem me dei conta. Não vai dar tempo de pegar a coberta da vovó no banheiro da academia. Vai ser um milagre se eu conseguir entrar no pátio. Ok, agora a coisa mais importante é ir ver Estella. Na coberta eu penso depois.

— Onde você mora?

Tenho vontade de pedir para ela me deixar em paz, dizer que ela é uma desconhecida e que não vou falar o meu endereço para desconhecidos, mas depois penso que ela pode me ajudar.

— Moro perto da loja onde estampam camisetas. Mas lá não é a minha casa. A minha tia que mora lá. Eu sou de outra cidade. Me ajuda a chegar lá? Eu acho que me perdi e a minha tia vai ficar brava se eu chegar tarde.

A senhora não se convenceu.

— E quem seria a sua tia? Talvez eu a conheça.

— Ela se chama Cristina. A loja onde estampam camisetas é dela. Me ajuda a chegar lá? Minha tia vai ficar brava se...

— Se você chegar tarde, tudo bem, eu entendi. Vamos, é bem ali virando a esquina. Você estava quase.

A senhora pega na minha mão e eu fico com um pouco de medo que ela me engane e me leve embora, mas depois de poucos passos me diz que chegamos e solta a minha mão.

— Ali está a sua loja. Atravesse na faixa, hein?

Escuto carros passando velozes e depois um *drin*, *drin*, *drin*, *drin* que conheço bem.

— Felipe!

A senhora fala da rua:

— Aquele é o seu primo?

Respondo que sim e fico feliz porque assim parece mesmo que minha tia mora ali e a senhora pode ir embora.

A voz de Felipe, do outro lado da rua:

— Oi, Mafalda!

Deve ter acabado de voltar da aula de piano.

A senhora se despede de mim e eu dou um passo fora da calçada, e estou tão feliz de ter chegado até Felipe que esqueço de escutar os barulhos e o movimento do ar e ouço só sua voz gritando:

— Mafalda, não se mexa! — Depois escuto uma buzina e uma pancada como se fosse uma caixa da mudança que cai e espalha pelo chão tudo o que tinha dentro.

Tudo fica em silêncio por um momento. Os carros não passam mais e as pessoas na calçada não conversam. Talvez o mundo tenha parado. Eu também estou parada, com um pé na rua e o outro não, a perna dobrada para trás e o caderninho apertado em uma mão. Não sinto nem o meu coração batendo por baixo da estrelinha branca.

A voz da senhora e das pessoas, e de outras pessoas na rua, e nos carros, e mais no alto, nas varandas acho, e nas janelas, os barulhos ao meu redor, de passos velozes, do movimento do ar, tudo e todos estão misturados juntos e barulhentos, e eu deixo o meu caderno cair, tapo as minhas orelhas para não ouvir mais Felipe gritando: "Mafalda, Mafalda!". E corro, fujo correndo e bato em uma grande caixa fedorenta, uma lixeira, e caio com as mãos abertas na calçada, mas ninguém cuida de mim, então me levanto e caminho o mais rápido que posso arrastando a mão nos muros, e depois de não sei quanto tempo sinto no nariz e na boca cheia de lágrimas o perfume das balas de ruibarbo da vovó e sinto que debaixo dos meus pés tem os tijolinhos da rua da escola. Corro na direção do portão, no silêncio absoluto, está aberto, eu entro, abraço o tronco da cerejeira, fresco, e sem óculos e sem lupa, sem lua e Estrela Polar, sem Ótimo Turcaret, sem Estella, sem Felipe, subo e subo e no final estou lá em cima.

Escuro.

Na noite dos meus olhos tudo é cinza-escuro e silencioso como uma nuvem cheia de chuva. Os monstros que querem me pegar pelo pé me esperam embaixo da cerejeira. Tenho medo de cair, mas estou tão cansada, muito cansada mesmo.

Debruço no galho em que estou sentada, apoio nele uma bochecha molhada e o galho também está molhado, aperto bem ele, aqui estou, vovó, cheguei, sou eu, a Mafalda, e adormeço respirando flores com bolinha e cabelo verde de gigante.

Viu, Cosme? No fim, acabei chegando.

Sabe, eu tinha certeza que ia encontrar você com a vovó e o gigante. Toc, toc, bato no galho também, mas ninguém sai para me fazer companhia. Eu já devia esperar por isso, você também ficava sozinho nas suas árvores. Acho que não era tão bom assim viver nas árvores, né? Então por que você foi? E por que eu fiz o mesmo? Os galhos são duros e desconfortáveis, e faz frio, e eu deixei em casa tudo o que eu precisava.

A Estella sempre diz para pensar em uma coisa bonita quando estou triste. Me concentro, e logo imagino ela, a Estella, e de repente sinto vontade de tirar um cochilo com sonho, de tanto que me esforço para pensar.

23

Ser forte como uma amazona

— Mafalda.

— ...

— Acorda, Mafalda!

A voz abaixo de mim e a dor na bochecha me fazem abrir os olhos. Ainda está tudo cinza e muito frio. Levanto-me do galho, apoio as costas no tronco da cerejeira e aperto as pernas contra o peito. Só que o escuro é tão escuro em volta de mim que perco o equilíbrio e não sei onde me apoiar e quase caio. Mais lágrimas caem devagar dos meus olhos. Seco-as com a manga da camisa. Penso em Felipe.

— Santo Deus, nem vai olhar para mim?

Estella.

Eu sei que é impossível, mas quase a vejo, magra, com a camisa de faxineira, o batom cor-de-rosa, as mãos na cintura como Felipe faz e os olhos pretos pintados de preto.

— Não vai nem me cumprimentar?

— Desculpa, me falaram que você estava no hospital. Estava indo visitar você.

Ela dá alguns passos na direção da cerejeira e se apoia. Sinto o seu toque atravessando a madeira e chegando até aqui em cima.

— Mas você só fez os seus pais se preocuparem. Eles procuraram você a tarde toda. Sorte que fui eu que encontrei você.

— Sim, sorte.

Ficamos um pouco em silêncio. Ouço um grilo nos galhos acima de mim. Adoro grilos. Eles sim sabem descer das cerejeiras, e também de todos os lugares altos.

Olhando para baixo, pergunto para Estella:

— Estella, você sabe por que os gatos não conseguem descer das cerejeiras?

A sua voz olha para cima, na minha direção:

— Das cerejeiras?

— Sim, das cerejeiras. Você sabe?

Estella suspira.

— Claro, quando você faz uma pergunta...

— Você sabe?

Na sua voz agora desponta um sorriso.

— Claro que sei.

— E por quê? Por que não conseguem?

— Porque não é da natureza deles. Eles têm garras para subir e são atraídos pelas coisas que podem encontrar na árvore.

— Como as cerejas, por exemplo?

— Como as cerejas, ou os passarinhos.
— Talvez persigam uma borboleta.
— Talvez.
— E depois não sabem mais descer.
— Exato.
— Mas por que não dão um pulo? Os gatos dão pulos grandes, enormes, gigantescos mesmo.
— Tudo bem, Mafalda, vou dizer a verdade, os gatos não descem das cerejeiras porque têm medo.

Me inclino um pouquinho em sua direção e deixo as pernas penduradas no escuro.

— Medo do quê?
— Ah, de cair e se matar.
— De morrer?
— Sim.

Mais silêncio. Mexo as mãos na cabeça enquanto estou enganchada no galho com as pernas e afasto as folhinhas e as flores macias da minha árvore. Algumas grudam e vão parar no meu nariz e outras acariciam meus braços e caem no chão fazendo um barulho bem baixinho. Bem devagar pergunto para Estella se ela também tem medo de morrer.

Ela sobe na cerejeira e a sacode toda. Para do lado do meu galho.

— Claro que tenho medo. E você também tem, né, Mafalda?

Brinco com uma flor de seda que caiu na minha mão.

— Sim, do escuro.

— E agora você não está no escuro? Mas você não me parece estar tão assustada. Você subiu na cerejeira.

Olho para ela no cinza. O seu rosto está tão perto que quase posso vê-lo, tenho certeza, quase.

— Como você sabe que eu estou no escuro?

— Ah, eu tenho o terceiro olho, que nem você.

— Você vai contar para os meus pais?

— Eles vão perceber sozinhos. Eles também têm o terceiro olho, sabia? Todos os pais e mães têm.

Aperto novamente as pernas contra o peito.

— Tudo bem, eu não vou descer daqui mesmo.

Estella dá duas batidinhas no tronco.

— Me parece uma boa ideia. Tem as flores, o gigante, a sua avó... Você já tentou falar com ela?

— Sim, mas...

— Ela não respondeu, né?

— Não, mas está de noite. Vai ver está dormindo.

— É quase de manhã, Mafalda.

Viro a cabeça para o outro lado para não deixar ela ver as lágrimas.

Estella se senta em um galho um pouco embaixo do meu.

— Sabia, Mafalda, que existiu um gato que sabia descer das cerejeiras? Há muito tempo, quando os egípcios estavam construindo as pirâmides, os gatos eram venerados como divindades e um escriba que estava a serviço do faraó decidiu ensinar o seu gato a descer das cerejeiras, porque sabia que era uma coisa especial para um gato, e ele queria fazer uma surpresa ao seu rei.

— De que cor era o gato?
— Era cinza e marrom.
— Como Ótimo Turcaret!
— Sim, como o seu gato gordão.
— E no Egito tinha cerejeiras?
— Claro que tinha. Tinha as cerejeiras mais altas e bonitas que eu já vi. Mas agora não tem mais, sabe, foram cortadas.
— Por quê?
— Para dar lugar às pirâmides.
— Ah.
— Então, eu estava dizendo que aquele homem, o escriba, ensinou o gato a descer das cerejeiras seguindo um método muito eficaz: colocava ele lá em cima da árvore e depois o deixava ali.
— Como deixava ali? Em cima da cerejeira?
— Sim. Uma vez ele deixou o gato em cima da última cerejeira que restava. A pirâmide estava quase terminada e a cerejeira estava bem onde iam construir o degrau mais baixo, está ouvindo?
— Sim. E como fizeram com o gato? Eles nunca iriam derrubar a cerejeira com o gato em cima.
— Pior. Ou pelo menos era o que queriam fazer. Como a árvore era a mais bonita de todo o Egito, no fim decidiram que não a derrubariam, mas construiriam a pirâmide em cima e ao redor dela, e se o gato não quisesse sair, pior para ele.
— Não é verdade.
Estella ri.

— Mas o gato se salvou, sabia?

— Ainda bem, senão ia acabar preso para sempre na pirâmide!

— E ia morrer.

— Porque não ia ter o que comer e beber?

— E nem ar e luz. Os gatos odeiam escuro, sabia?

— Sim, e ainda têm os olhos com infravermelhos para ver de noite. Uma sorte.

— Sim, mas o gato do escriba tinha medo de ficar preso mesmo tendo os olhos com infravermelhos. Chorava desesperado, tadinho, enquanto os escravos colocavam os grandes blocos de pedra ao redor da cerejeira e o seu dono não queria ajudá-lo a descer. Todos em volta imploravam ao escriba para salvar o gato antes que fosse tarde demais, mas ele respondia que um gato digno de um faraó sabe descer das cerejeiras.

— Ele era um pouco malvado.

— Um pouco. Mas quando os escravos, exaustos, estavam para colocar o último bloco de pedra, o gato desgrudou as garras do tronco e desceu da cerejeira com dois ou três saltos, e assim se salvou.

— E o faraó ficou contente com esse gato especial?

— Tão contente que lhe deu de presente a vida eterna.

— Uau! Então quer dizer que esse gato ainda está por aí?

— Parece que sim.

Fico quieta mas sorrio por dentro.

— Até parece que aquele gato queria aprender a descer de cerejeiras!

— Quem tem medo não vive, Mafalda.

Abro um sorrisão e meus olhos pinicam. Quem tem medo não vive, quem tem medo não vive... Não tenho certeza se entendi a história do gato do escriba, mas é bonita e me faz mal, como a música de Felipe.

Olho para Estella, que começa a descer da cerejeira.

— Aonde você vai?

— Deve pensar nesta pergunta, Mafalda. Qual é o seu essencial? — Dá um salto e fica me olhando lá de baixo.

— O meu essencial é ficar aqui.

— Tem certeza?

— Sim. É a última coisa da minha lista.

— Da velha ou da nova?

— Qual nova?

— Aquela velha, com um outro nome. Pega ela aí.

Os meus dedos se mexem no bolso e fazem estalar uma folha amassada, como a advertência que tomei com Felipe. Tiro-a do bolso e não vejo o que está escrito, mas eu sei que é a lista. A lista da Mafalda. *Coisas que gosto muito e que não poderei mais fazer.*

Estella fala alto comigo e não é um sonho. Estella sempre foi verdadeira comigo.

— Viu? Basta mudar o título: *Coisas que gosto muito.* Mafalda, você subiu aqui no escuro, não?

Fico de novo em silêncio com a folha nas mãos.

— Se o gato do escriba não tivesse entendido qual era o seu essencial, agora estaria mortinho da silva.

Permaneço agarrada ao meu galho com as duas mãos, mas uma voz dentro de mim está me dizendo alguma coisa.

— Eu estou no escuro, Estella, você sabe. Tenho medo.

— Quem tem medo não vive, Mafalda. Vai, eu ensinei como faz para descer. Coloca o pé ali...

Ok, vou tentar.

— Assim?

— Sim, assim. Agora dá um pulo...

— Você me pega?

Estella não responde.

— Me pega?

Estou pendurada em um galho com um pé em um buraco do tronco e uma perna no vazio. Eu não sei qual é a altura do galho. O cinza ao meu redor fica um pouco mais claro e percebo que é de manhã. Meus braços doem, e as mãos e os joelhos também porque ontem caí na calçada. Quero me deixar cair, mas tenho medo. Penso em Cosme, que não desceu mais das árvores pelo resto da vida, e eu fico um pouco triste. Eu resisti só uma noite, ou meia noite.

— Estella, me ajuda!

Estella não responde, mas ouço sua voz dentro dos meus ouvidos me dizendo que tenho que fazer isso sozinha. Vou ser pior que o gato gordão?

Fecho os olhos. O escuro é preto, sem lua nem Estrela Polar. Estou cansada. É mais fácil soltar as mãos e cair de cabeça, assim vou para o hospital e talvez me coloquem no quarto com Estella. Mas esse pensamento me dá ainda mais medo. Estella e Felipe são o meu essencial. Não posso desistir.

Nunca desista, repito a mim mesma. *Nunca desista.*

Abro os olhos, tiro o pé do buraco do tronco, fico pendurada no escuro. E parece que a cerejeira se mexe debaixo dos meus dedos como se estivesse se sacudindo um pouco. Escorrego. Então solto as mãos e pulo.

24

Coisas que gosto muito

Não paro mais de cair.

O ar é fresco e escuro nas minhas bochechas.

Não é ruim cair. Me dá um frio na barriga e no coração, como quando eu andava nas montanhas-russas, que são legais mesmo dando medo. Lembro de uma fotografia minha, da mamãe, do papai e da vovó em uma montanha-russa de criança. Eu e a vovó estamos com os cabelos ao vento, os braços levantados e a boca escancarada com todos os dentes (ela, com a dentadura, bem branquinha). A vovó sempre queria levantar os braços nos brinquedos. Lembro de seus gritos, mas não de medo, e do *flash* da máquina fotográfica. Um relâmpago branco.

E enquanto caio me vejo em um *flash* de fora, como se uma outra Mafalda caísse bem na minha frente olhando no meu rosto, e não tivesse os olhos escuros. Enquanto caímos juntas, ela me conta que estou com as marias-chiquinhas para cima, os braços ainda levantados como no galho e as roupas cheias de vento. Estou engraçada. "Abre os olhos", me diz, "é divertido".

Abro os olhos e tem luzes por todos os lados, os monstros são desenhos animados e batem as patas junto com vovó, Ravina, Estella, Felipe e Ótimo Turcaret. Cosme e Viola também estão. Aplaudem a minha queda, estão nítidos e todos juntos parecem artistas de circo, e a menina que cai na minha frente ri e aponta para cima, assim, um momento antes de tocar o chão, olho para o céu e consigo contar todas as estrelas do universo.

Falta um centímetro, eu sei, eu sinto. A menina que cai comigo dá tchau com a mão e parte como um foguete para o céu, segurando uma linha com bexigas vermelhas que encontrou não se sabe onde, voa mais alto que o topo da árvore, que o teto da escola, e é de noite que joga futebol com uma estrelinha como bola. A vovó fica no gol entre a lua e a Estrela Polar.

Os meus tênis tocam o chão do pátio muito antes do previsto e os tornozelos caem por cima, os joelhos chegam logo depois, em seguida os quadris, as costas, os ombros, os cabelos. Estou com as mãos no chão, agachada como um saquinho vazio e com os pés doendo, mas inteira.

O escuro ainda é escuro, me levanto dentro dele e estou para chamar um nome, mas não me lembro mais, lembro só do meu.

— Mafalda!

A voz do papai chega correndo, de longe. É uma voz cheia de respiração rápida e talvez também de choro, mas vou ter certeza só quando sentir o cheiro.

O papai abre o portão da escola, que bate fazendo muito barulho de ferro, ele corre e se joga em mim de joelhos me apertando forte.

— Me promete que nunca mais vai fugir. Me promete! — diz com o nariz enfiado nos meus cabelos.

— Ok.

Ela se afasta um pouquinho e sinto o seu rosto na frente do meu. O seu choro tem cheiro de camomila e fumaça de chaminé. Muito gostoso. Me pega pelos ombros. Estella também fazia assim.

— Como você conseguiu me encontrar?

— Você está bem? Está inteira? Vi que você caiu da árvore.

— Não caí, desci. Como você conseguiu me encontrar?

— Nós seguimos os seus rastros. Os vizinhos viram você saindo pelos fundos.

— Aqueles antipáticos?

— Sim. Eles não são tão maus. Só são tímidos. Nos ajudaram a procurar você.

— E depois?

— Talvez seja melhor eu contar em casa. Está frio. Sabe que horas são? — Então ele para e eu sei que está sorrindo, sinto em sua voz. — É o momento do dia preferido da vovó.

E me acontece uma coisa estranha, porque eu sei do que ele está falando. Sinto um sol despontando atrás dos olhos e aquecendo todo o meu rosto.

— Papai, o nome da vovó era Aurora, certo?

Ele acaricia a minha cabeça.

— Sim, esse era o nome dela. Agora vamos para casa.

— Vamos contar quantos passos tem da cerejeira até o seu perfume?

A mamãe balança as chaves da casa nova e Ótimo Turcaret escapa um pouquinho antes de ela fechar a porta.

— Não vale, mamãe, eu sinto o perfume da cerejeira assim que eu abro a janela do meu quarto!

Atravessamos a ruazinha cheia de "olhos de Maria" e estamos na esquina da escola, do lado da horta orgânica. Escuto o pulo silencioso de Ótimo Turcaret, que se encaminha para fazer suas necessidades, e fico com vontade de rir.

— Tem razão, não vale. Eu acompanho você até la dentro.

Uma rajada de ar quente acaricia as minhas bochechas e depois ouço o assobio secreto, que não é tão secreto. Viro para a mamãe.

— Entendi, você quer ir sozinha. Tudo bem, espero você na saída.

Me dá um beijo e se distancia um pouco. Sei que está me olhando escondida e ela pensa que eu não percebo. Coloco um pé no primeiro degrau da escada. De cima vêm passos muito rápidos que me alcançam e tenho a impressão de quase ver a pessoa que está parada na minha frente: costas retas, pernas abertas, mãos na cintura.

— Vai, dá a mão pra gente entrar.

Subimos as escadas e ele me diz que sou lenta como uma música chata. Me vem à mente a nossa banda, que por enquanto é só um dueto.

— Vamos ensaiar hoje?

— Sim, às três.

— O que vamos cantar? "Yellow Submarine"?

— Não, uma música nova.

— Ok. Vou colocar ela na lista nova.

— Que lista?

— Uma nova. *Coisas que gosto muito*.

— Você está com ela aqui?

— Sim.

— Deixa eu ver.

Tiro do bolso do uniforme uma folha dobrada em quatro e dou para Felipe.

— Meu Deus, como você escreve mal. Não dá pra entender nada.

A sua voz tem cheiro de leite e menta. Muito gostoso. Com um pouco de dificuldade ele lê a minha lista nova.

Coisas que gosto muito
Música.
Ótimo Turcaret.
Histórias.
Esquiar e andar de trenó atrás do papai ou do Felipe.
Correr de bicicleta atrás do Felipe.
Adivinhar a hora com o sol no rosto.
Ter um melhor amigo.

As flores e seus cheiros.
Ir viajar para um lugar diferente todo ano.
Subir em cerejeiras. E descer.
Não ficar sozinha.
Amar alguém.
Ser forte como uma amazona.
Escrever pelo menos um livro...

Ele para.
— Legal. Mas no intervalo escrevo melhor pra você.
Estou feliz. Estou tão feliz que esqueço até de me virar e de me despedir da mamãe, que ainda está no portão da escola, e que também está feliz, porque sabe que o meu essencial é encontrar pelo menos um amigo de verdade, e quando sua filha de dez anos encontra um amigo de verdade no escuro, bem, acho que ela tem que ficar feliz mesmo.
— Você me ajuda a escrever o livro também?
Felipe coloca a lista de volta no meu bolso e pega a minha mão. O sinal toca, temos que entrar.
— Ok. Você já pensou em como ele vai começar?
Sorrio.
— Sim. Começa assim: *Todas as crianças têm medo de escuro...*

25

Epílogo

Querida Mafalda, há um tempo eu disse pra você que uma amiga mal-educada tinha tirado um pedacinho de mim, você se lembra? Mas a Estella não fala mentiras, só a verdade, então é justo que você saiba que não era uma amiga minha, mas uma doença muito antipática, e a doença agora voltou e está tentando tirar um outro pedaço de mim, ou quem sabe até tudo. Por isso, estou no hospital e não pude fazer nosso assobio secreto.

Tenho quase cem por cento de certeza que quando você ler essa carta eu já terei ido morar com sua vó e o seu gigante no tronco da cerejeira e que vamos nos divertir muito juntos. Você pode vir nos encontrar quando quiser, basta subir na árvore e colocar os pés onde eu disse pra você quando nós nos conhecemos, há uns anos. Naquele dia, falamos também das nossas listas e eu mostrei a minha pra você. Com o tempo, eu pensei nisso e comecei uma lista nova, com coisas que eram essenciais para mim e que eu podia fazer sem um peito. Você que me deu essa ideia, quando começou uma lista de coisas que pode fazer sem os olhos, que eu acho que é muito mais difícil. Espero que você tenha encontrado muitas coisas para colocar na sua lista porque você é uma amazona de verdade, uma pequena princesa que sobe em árvores e a filha secreta de Sherlock Holmes. Eu só consegui uma: encontrar uma amiga de verdade. E que é também o meu essencial.

Nos vemos na cerejeira, Mafalda, e nesse meio-tempo divirta-se muito, muito mesmo. Como se fosse sempre a festa do seu aniversário de dez anos.

A sua Senhora Estella da Transilvânia, rainha de todas as amazonas.

Agradecimentos

Cá estamos.

O primeiro "obrigada" é para mamãe, papai, Roberta, Alessandra, Giuliano, Pietro, Matilde, tio Silvio, tia Alba e Ada: precisa ser muito maluca e muito "família" para acreditar em alguém a esse ponto.

Agradeço ao meu companheiro Simone, por ter amado de verdade o meu livro, com suas imperfeições. E a mim, com as minhas imperfeições. E ao meu jardim, e à minha cozinha, a mesma coisa. Porque você se preocupa quando eu caio, e depois ri. Porque você tem pensamentos que fazem belos ruídos.

Agradeço aos meus dez tios, aos meus onze primos, aos seus companheiros e aos seus filhos, porque vocês me ensinaram que é possível superar o pior e ainda rir. Aqui estou.

Agradeço aos professores que colocaram uma caneta e a língua italiana na minha mão, e depois me encorajaram a segurá-las firme. Rosa, Anna, Mariarosa, Ester, Manuela, Paola, Provvidenza, Loretta, Mario, Francesco, Guido, Adriana.

Agradeço a Anna Paola, Margherita, Sara, Angela, Sara, Giulia, Daniele, Beatrice, Fabiola, Vanessa, Alessandro e Federica, Veronica e Luigi, Francesca, Barbara, Miriam, Matteo, Martina. Não é fácil estar perto de um amigo nas horas boas e ruins. Mas vocês foram fortes o suficiente.

Agradeço aos colegas, que se tornaram amigos. Paolo, Maria, Caterina, Rubby, Gioele, Andrea. Todos grandes chefes. E agradeço às crianças de todas as nacionalidades que, nesses anos, eu acompanhei com esses colegas e que são uma fonte preciosíssima de histórias e de afeto incondicional. Quando escrevo, vocês estão sempre comigo.

Agradeço aos companheiros de medo e embriaguez da escola Palomar de Rovigo: Stella, Andrea, Arianna, Edoardo, Anna, Stefano, Francesco, Enrico, Igor, Germano, Giulio, Evita. Verdadeiros amigos e verdadeiros escritores, as mamães e os papais – em carne e osso – de Mafalda.

Um agradecimento muito especial vai para o escritor que fundou a escola Palomar, Mattia Signorini. Você encontrou Mafalda e a entendeu antes de qualquer outro. Agradeço à grande mulher que é Giulia Belloni Peressutti: "Se você tivesse se comportado de outra forma, eu teria ficado chateada com você".

Agradeço a Clara por ter me dado o lá. Uma nota que mudou minha vida.

Agradeço a Martino, Aneliya e Sadhbhn pela paciência que tiveram na tentativa de me ensinar um pouco de inglês.

Agradeço de coração a uma agente de primeira, Vicki Satlow, e a sua equipe, Giulia Iovino e Martina Moretti em particular: sem vocês, nada disso teria sido possível.

Com a mesma motivação, agradeço ao maravilhoso molho Rizzoli, com todos os seus ingredientes mágicos nas figuras de Michele Rossi e Benedetta Bolis, por ter visto beleza na imperfeição de Mafalda, a Cristina Franceschi, pela organização da viagem, a Francesca Leoneschi pelo cuidado com a gráfica. Giulia Magi pela ajuda enorme na divulgação. Obrigada a todos aqueles – editora, editor, *videomaker* – que amaram a minha história e que trabalharam com paixão para dividi-la da melhor forma possível.

Agradeço aos meus fotógrafos de confiança, Caterina e Mirko.

Agradeço àqueles que acreditaram numa garota anônima da província italiana. Marianne Gunn O'Connor, Jane Harris, Emma Matthewson, Ruth Logan, Tina Mories, toda a Bonnier Zaffre e os grandes profissionais dos países que amaram o romance logo de cara.

Agradeço a uma tradutora sensível e atenta, a amiga Denise Muir, e à ilustradora Carolina Kabei pela inteligência e intensidade de suas imagens.

Agradeço a quem, no passado, me deu a oportunidade de trabalhar, a quem me levou a Rovigo e a tantos outros lugares e ficou lá comigo, ou veio me pegar, a quem foi gentil e também a quem não foi, ou não teve a força de ficar ao meu lado: todos me tornaram mais forte.

Agradeço a Ilenia, que me ensinou a gostar de mim novamente. É por isso que o último agradecimento faço a mim mesma e a todas as mulheres que não desistem. Obrigada. No final, nós venceremos, sempre.

Este livro foi composto em Fairfield LH 45 e Bliss Pro e impresso pela
Geográfica para a Editora Planeta do Brasil em junho de 2019.